文春文庫

ニューヨークの魔法をさがして

岡田光世

文藝春秋

ニューヨークの魔法をさがして

HOME
SWEET
HOME

contents

第6章　忘れられない人たち

コウタ・キタデヤ君と曽（加藤）里香さんのフルネームは、
承諾を得て掲載しています。

本文写真・岡田光世
写真レイアウト・大久保明子

単行本
2013年４月　大和書房刊（『ニューヨークを探して』を改題）
文庫化にあたり大幅に加筆し、撮り下ろし写真を加えました。
尚、「はじめに」「文庫版あとがき　シマコさんをさがして」
は本書のための書き下ろしです。

はじめに

オカダさんにとって、ニューヨークってどんな街？

そう聞かれると、今では決まり文句のように、こう答えている。

ニューヨークは孤独で淋しい大都会なのに、人と人の心が触れ合う瞬間に満ちている。

でも、一九七〇、八〇年代のニューヨークは、私にとってこの答えの前半の、孤独で淋しく、しかも恐ろしい大都会でしかなかった。

まずは、林立する摩天楼とタイムズスクエアの目がくらみそうなネオンに圧倒された。摩天楼の谷間では、公園や道端にドラッグディーラーがたむろしていた。夕方になると、公園の中は恐ろしくて歩けなかった。外に出れば、ホームレスの人たちが次々と無表情に紙コップを差し出して近づいてくるのも、当時は怖かった。

地下鉄の駅は不気味に薄暗く、床にちょろちょろ水が流れ、線路にはネズミが走り回っていた。吸い込まれそうなトンネルの向こうから、轟音（ごうおん）が聞こえたかと思うと、物凄い迫力のサイケデリックな落書きで覆われた電車が、勢いよくホームに入ってきた。

恐る恐る乗り込むと、そこには通勤帰りの、いかにも仕事ができそうなビジネスマンやキャリアウーマンが、ごく当たり前のように立っていた。何が起こるかわからない物騒な街で、普通に生活している人たちがいることが、驚きだった。

その後、大学院進学を機に、ニューヨークで暮らし、働くことになった。三十代で取材を受けたとき、こんなふうに答えていたことを、数年前に思い出した。

「ニューヨークは、あまり好きではない。自己主張しなければ生きていけない街で、人として大切なものを忘れていってしまう気がする」

私にも、そんなふうに感じた時期があったのだ。人間関係に疲れていたのだろうか。

あれから、ニューヨークは確かに変わった。かなり治安がよくなったし、公園なども管理が行き届き、街全体が明るくなった。地下鉄の落書きはすっかり姿を消し、車体はピカピカだ。そして何よりも、私自身が少しずつ変わっていったのだと思う。気持ちにゆとりができ、心が外に向き始めたのだろう。無機質な街だったはずなのに、私の描くニューヨークは、いつしか人のにおいや温もりを感じるものが目立つようになった。

こうして、「ニューヨークの魔法」シリーズ（第一弾から第六弾まで、文春文庫）が生まれた。人とのささやかな触れ合いを、ニューヨークを舞台に描いたエッセイ集だ。

そのときどきのやりとりを、その場にいるように感じてほしいと、簡単なのに心に響く英語の言葉を、エッセイに織り込んでいる。一話ずつ完結しているので、シリーズのどの本から読んでもいい。お陰様で版を重ね、シリーズで揃えている読者も多い。

第六弾の本書は、元になった単行本のタイトルどおり、「ニューヨークを探して」歩き回り、出会ったニューヨーカーたちに「ここはどんな街？」とときに問いかけている。

地下鉄でひと言、ふた言、交わした女性は、泣きながら自分の両親の話を始めた。ある日、公園の男子トイレでは、鏡の前で身繕いに夢中なアジア系の男性を、黒人の清掃員がはやし立てている。

たまたま、建物から出てきた超正統派ユダヤ教徒の青年は、驚くべきものを見せてあげるよと言い、私たち夫婦を未知なる場所へ連れていく。

列車で隣り合わせた男性は、クラッカーを食べていた私に気づき、喉につかえますよ、とペットボトルの水をくれ、意外なやりとりに発展した。バスの中では、運賃を何十枚もの小銭で支払うホームレスの人を、温かい目で見守る乗客たちに遭遇する。

スーツ店のイスラム教徒の店長は、商売もそっちのけで人生を語り始める。

教会のホームカミングのお祝いに、ふらりと立ち寄ったインドネシア人の若い女性は、私も痛みを抱えているの、とずっと胸に秘めていた親への思いを明かす。

孤独で寂しい大都会の片隅で、人と人の心が触れ合う瞬間——。

ニューヨークを、そしてニューヨークの魔法を探す旅に。どうぞ、あなたもご一緒に。

岡田光世

第1章

話せば長い不思議な縁

ふたりぼっち

What brought you to New York?
どうしてニューヨークに来たのですか。

どこの出身ですか、と同じくらい、ニューヨークではよく聞かれる質問だ。

あのときも、それが話のきっかけだった。

九十六丁目の角を曲がったところで、地下鉄の轟音が聞こえたので、駆け足で階段を下り、改札を通り抜けたが、すでにホームに電車の姿はなかった。

仕方なく向かったホームのベンチには、女の人がひとり、背中を丸め、空を見つめてすわっていた。中南米のスペイン語圏からの移民、ヒスパニック系のようだった。

今、来た電車はCトレインでしたか、と尋ねると、いいえ。Bよ。私もCを待っているのよ、とその人が答えた。

週末は地下鉄のルートがよく変わるから、何が何だかわからなくて、と私がぼやく。

この辺に住んでいるの？　とその人が私に聞いた。
いいえ。あなたは？
もっと北のブロンクスよ。
話していると、Ｃトレインがホームに入ってきた。私たちは隣にすわった。
その人はプエルトリコ出身だった。
What brought you to New York?
どうしてニューヨークにやってきたの？
軽い気持ちで、私が尋ねた。
It's a long story.
話せば長いのよ。
そう言って笑うと、女の人は自分の物語を話し始めた。

私が生まれる前に、父は母を置いて、家を出ていったの。そして私が八歳のとき、今度は母が私を置いて、家を出ていってしまった。私は母方の祖母に育てられたの。母はひとりでニューヨークに行ったと、あとで知った。十八歳になったとき、母を追い求めて、私もひとりでこの街にやってきたの。
で、お母さんには会えたの？

その人は首を横に振った。

会えるわけがないわよ。この大都会のどこに母がいるか、何の手がかりもなかったんだから。でも、母に会いたい一心で、飛び出してきちゃった。あれからもう二十年もたってしまった。

そう言うと、みるみるうちに、その人の目から涙があふれ出した。

ごめんなさい。聞かなければ、よかったわね。

いいえ。聞いてくれて、うれしかった。

降りるとき、私が声をかけた。
You never know. You might run into your mother tomorrow. This is New York. Anything can happen.
わからないわよ。明日、お母さんにばったり会うかもしれない。ここはニューヨーク。何だって起こり得るんだから。
その人が笑った。
Thank you for listening.
話を聞いてくれてありがとう。

地下鉄でそばにすわっていた人たちは、その人と私がたった今、出会ったとは、想像もしないだろう。

でも、それがニューヨークという街でもある。

そっとしておいてほしければ、群衆のなかでひとりぼっちでいることもできる。でも、誰かと話したければ、ひとりぼっちではなく、ふたりぼっちになれる。それも、地球の反対側からやってきた、見ず知らずの人とでも。

いつか私がふたりぼっちになりたいときも、きっと耳を傾けてくれる人がいるだろう。

ニューヨークはなぜか、そんなふうに思える街なのだ。

This is New York. Anything can happen.
ここはニューヨーク。何だって起こり得るんだから。

男子トイレの風景

夫が楽しそうに公衆トイレから戻ってきた。初秋のある夕方、私たちはニューヨーク公共図書館の裏にあるブライアントパークにいた。

夫が手を洗おうとすると、手洗いの鏡の前にアジア系の男の人が立っていた。三十代くらいの小柄な人だ。さっきトイレに入ってきたときにも、確かそこにいた。自分の顔に見入っていて、鏡の前から動こうとしない。

白いシャツに、赤系の柄の派手なネクタイ、サスペンダーで固定された黒いズボンに、黒いジャケットをはおっている。目の前には白い紙袋が置かれ、中から色とりどりの花のブーケが顔を出している。これから彼女とデートなのか。もしかしたら、プロポーズでもするのか。

蛇口の水で何度も手を濡らしては、びしっと七三に分けた髪をなでつけて、整えている。手を洗う人の迷惑を顧(かえり)みず、仁王(におう)立ちで身繕いに夢中だ。周りの人はまったく視界に入っていない。皆、主役の邪魔をしないように、隣の蛇口を使って遠慮がちに手を洗っている。

彼のすぐ後ろで、清掃している黒人の男の人が、モップで床を拭く手を止め、その様子を見ている。ほかの人の邪魔になるからそろそろどくように、と注意するのだろうと思って、夫はふたりを眺めていた。

ついに、鏡に映ったアジア系の男の顔に向かって、黒人の男が声をかけた。

Hey, don't worry. You're beautiful.

なあ、心配することないぜ、あんた。十分、男前だ。

黒人の男は半ば感心し、半ば冷やかすように、笑っている。

こんなことを言ったら失礼だけど、鏡の前の男は、とても「男前」には見えなかったんだよ。まして、ビューティフルとはなあ。

アジア系の男は表情ひとつ変えず、真面目な顔でこれに答える。まるで中学生が英語の教科書を音読するように、一語一語、区切って、はっきりと発音する。

Yes, I am.

はい、私は男前です。

返事がまた、ふるっているだろ。

気をよくしたのか、さらに念入りに髪をなでつけ、シャツの襟を立てたかと思うと、ネクタイをわざわざほどいて締め直している。

There you go. That's perfect. You're looking great.

そうそう、ばっちりだ。決まってるぜ、あんた。

アジア系の男は相変わらず無表情で、今度はしきりに肩やズボンの裾（すそ）のゴミを払い落としている。

黒人の男はますますご機嫌で、鏡の前の男の身繕いにいつまでも見入っている。

ここは自分も、隣で手を洗いながら、ひと言、ほめ言葉をかけてみるか、と思ったけれど、ビューティフルを超える形容詞はさすがに思いつかなかったよ。

控え目なイメージのアジア系男性も、ここまで自信に満ちあふれていれば、大丈夫。十分、ニューヨークでやっていける。

楽しそうな男子トイレ。ぜひ現場を見てみたいと思ったけれど、さすがにそれは叶わない。

There you go. That's perfect.
そうそう、ばっちりだ。

地下鉄の不可解な体験

Do you want to sit?
すわらない？
アイフォーン（iPhone）から目を離すと、斜め前にすわっている二十代後半くらいの白人の男の人が、耳にしていたイヤフォンを外し、私に向かって話しかけてきた。私はニューヨークの地下鉄で、立ったままアイフォーンをいじっていた。
No, thank you.
いえ、結構です。ありがとう。
Are you sure?
本当？
Yes. I'm fine.
はい、大丈夫ですから。
Come on, sit.

いいから、すわりなよ。

そう言って、男の人が立ち上がった。

すると、その人の隣にいた二十代前半くらいの黒人の女の人が、ドアのところに立っている同年代の女の人に向かって、席が空いたわよ、と叫んだ。

譲られた席には、私の代わりにその人が腰を下ろした。

男の人と私は、顔を見合わせて笑った。彼は私の隣に立ち、イヤフォンを付けると、また何か聴き始めた。

それにしても、どうしてこの人は私に席を譲ってくれたのだろう。重い荷物を持っているわけではない。ごく普通の大きさのショルダーバッグを肩にかけていた。疲れた顔をしているわけでもないだろう。まして、それほど年老いてもいない。

三十歳くらいに見える、とあるフランス人に言われたばかりだ。

話しかけても聞こえないだろうと思い、その人の腕を軽くたたいて合図すると、イヤフォンを外して、私を見た。

邪魔して申し訳ないのだけれど、どうして私に席を譲ってくれたのですか。

答えに詰まっているようだ。

東京でそんな経験は一度もないから。高齢に見えるわけでもないと思うのだけれど。

男の人は笑った。

見えないよ。

ふらふらしているように、見えたのかしら。

違うよ。ただそうしたいって思ったんだよ。僕は一日中、オフィスですわっていたから、帰りの電車まですわっている必要もないし。

そして、言い添えた。

I was just trying to be nice.

何かいいことしようと思っただけさ。


その人に礼を言って、電車を降り、別の地下鉄に乗り換えた。ラッシュだったので、中に詰めて立った。目の前で、二十代後半くらいの女の人がすわって本を読んでいる。と、その人が顔を上げて、私に声をかけた。

Do you want to sit?

すわりますか。

私は狐(きつね)につままれたような顔をしていたに違いない。

No, thank you.

いいえ、結構です。ありがとう。

Sit.

すわりなさいよ。

そう言って、女の人が立ち上がった。

私は思わず吹き出した。

ごめんなさい。たった今、まったく同じように、若い男の人が席を譲ってくれたから。続けて二度も譲られると、すわらなければならない気になってくる。この際、無駄な抵抗をせずに厚意に甘えようと、すわりながら尋ねた。

どうして、譲ってくれたの？

返事に困っているようで、ほほ笑みながら、肩をすくめた。

地下鉄には、吊革がなかった。もっと上の位置に手すりがあるだけだ。そこに手を伸ばしてみたが、私には高すぎて安定しないので、やめた。電車が動いている間は両足を開いて踏ん張り、バランスを取っている。それでふらふらしているように見えたのか。

私が倒れてくると思ったのかしら。

いいえ。でも、手すりにつかまろうとしていたから、すわれば楽かなと思って。

解せないまま、その二週間後、また地下鉄に乗っていた。この電車も混んでいて、私は車両の真ん中に立っていた。本を読んでいると、肩をたたかれた。振り向くと、黒人の男の人が膝の上に新聞を何部も雑然と広げたまま、中腰になって、後ろの自分の席をしきりに指差している。私が首を傾(かし)げていると、大きな声で言った。

Sit!

すわんな。

唐突に命令され、礼を言うのも忘れ、なぜか私も断固たる姿勢で答える。

No, I'm fine.

いえ。大丈夫です。

今度は私のカーディガンを引っ張り、すわるようにと何度も催促する。

本当に大丈夫です。ありがとうございます。

それでも彼は、自分の座席にすわれ、と右腕で合図している。左腕で膝の上の新聞の束を押さえている。足の間に、「ホールフーズ」（Whole Foods）の大きな紙袋が置かれている。ナチュラル・オーガニック系のグルメ・スーパーマーケットだ。この人こそ、荷物が多いのだから、すわっていたほうが楽だろう。

本当に大丈夫ですから、と答えると、ようやく、わかったよ、というふうに小刻みにうなずいて元の座席に腰を下ろした。

ひょっとすると、ホームレスの人だったのかもしれない。よく見ると、紙袋の中には新聞がぎっしりと入っていた。手には白や黒のビニール袋とペンを握っている。身なりはそれほど乱れていないが、目がすわっているように見える。

ほかにも立っている人がいたのに、わざわざ席を離れて、私を指名してくれた理由が今もわからない。三人も立て続けに、譲ってくれたわけは、ますますわからない。

ニューヨークでは、地下鉄のドアが開いた瞬間に、空席めがけて突進する人をあまり見かけないことは確かだ。同じ席に歩み寄った場合でも、最初にたどり着いた人が、後ろにすわりたい人がいることに気づけば、その人に譲ることも多い。

重い荷物を持っていたり、ベビーカーを押していたりすると、同時に何人かがさっと立ち上がる場面にも、何度も出くわした。周りの人たちの様子を、じつによく見ている。


席を譲ってもらったわけではないけれど、そういえば東京でこんなことがあった。

ある日の夕方、東京駅で中央線がホームに入ってくるのを、夫とふたりで待っていた。私たちの前には、三十代ほどのスーツ姿の女の人が立っていた。

一日中、歩き回っていたので、足が棒のようになっていた。疲れたね、すわれるといいね、と夫に話しかけると、そうだね、と夫が答えた。

すると、前に立っていた女の人が振り向き、お先にどうぞ、と言うと、私たちの後ろに移動した。

こちらがきょとんとしていると、その人が言う。

疲れているんでしょう。先に乗って、ゆっくりすわって休んでください。私はこれから仕事で、すぐに降りますから。

はきはきと明るく話す人だった。この人はきっと、仕事もできる人なのだろう。

電車が動き出すと、その人はドアのところに立って、すがすがしい表情で外を眺めていた。思いがけないやさしさに、疲れは吹き飛んだ。どうぞ、と言われるのは、うれしいものだ。誰かが自分を気にかけてくれている。

でも、とその人の横顔を見つめながら、思う。どうぞ、と言ってくれたあの人には、ゆとりがある。ポジティブなエネルギーを発していて、生き生きとさわやかに見える。自分の人生を自分で切り開いているような、力強さがある。

ニューヨークの地下鉄の不可解な体験は、今も不可解なままだが、今度は私が席を譲る側になってみたくなった。高齢者でも赤ちゃん連れでもない人に、さりげなく、何の理由もなく。

I'm just trying to be nice.

I was just trying to be nice.
何かいいことしようと思っただけさ。

ペットボトルの水と缶コーヒー

ニューヨークの地下鉄で見知らぬ人が立て続けに席を譲ってくれるという、奇妙な体験をしたばかりだった。ニュージャージー州にあるニューアーク・リバティー国際空港に向かうために、マンハッタンのペンシルベニア駅から中距離列車に乗った。

スーツケースがあったので、通路側にすわった。窓際の男の人と目が合い、笑みを交わした。体格のいい四、五十代の白人だった。

これから一か月間、フランスへ出かけるので、あれこれ雑用に追われていたら、ランチを食べ損ねてしまった。こういうときのためにバッグに忍ばせてあった、グラハムクラッカーを取り出して、食べ始めた。全粒のまま製粉した小麦粉を混ぜ合わせて作られたクラッカーで、サクサクとした食感がある。

隣の男の人は、本や新聞を読むでもなく、時折、窓の外を眺めていた。そして、思い出したように、前にかがむと、足元の大きなバッグから「ポーランド・スプリング」のペットボトルを一本取り出した。

Would you like water?

水をどうですか。

彼はポーランド・スプリングを私に差し出す。

私は意味がわからず、首を傾げる。

それ、あなたのでしょう?

僕はもう飲みました。余分に買ったので、よかったらどうぞ。それだけじゃ、喉(のど)につかえますよ。

そう言って、私が手にしているグラハムクラッカーに目をやった。

それまでこちらを見ている様子はなかった。確かにグラハムクラッカーは、粉っぽい感じが口に残る。でも、中身を取り出すと箱はすぐにバッグにしまったから、よく見ていなければ何を食べているかはわからないはずだ。それに静かに食べていたし、むせたり、咳き込んだりしていたわけでもない。

私は礼を言い、ペットボトルを受け取った。そして、東京でのあるできごとを思い出した。


東京駅で博多行きの新幹線に乗り込んだ。発車まで時間があったので、ホームの自動販売機で缶コーヒーを買ってきたかった。すぐ前の席に、二十代後半から三十代くらいの女の人がひとりですわっていた。

すみません。ちょっと飲み物を買ってきたいんですけど、荷物を見ていていただいていいですか、と声をかけた。

ニューヨークでは、カフェや図書館で他人にそう頼んで、トイレに行ったり、本を借りに行ったりし合っている。頼めばたいてい、もちろん（Sure.）のひと言で、引き受けてくれるし、私も引き受ける。ニューヨークのような大都会なのに、見た目だけで他人を信じているわけだ。

とはいえ、自分の仕事や勉強を犠牲にし、目を皿のようにして荷物の見張り番をしているわけではない。負担にならない程度に、持ちつ持たれつの関係が、他人同士でも成り立っている。

前の座席の女性は、最初、私が何を言っているのか、よく理解できなかったようだ。他人にそんな頼みごとをされたことは、おそらくこれまでないのだろう。

今度はさらに遠慮がちに、もう一度、繰り返すと、しばらく沈黙が続いたあとで、はあ、と言った。なんて図々しい人か、と思っているのだろう。

すみません、すぐ戻ります。

そう言ってドアに向かって走ろうとして、振り返り、もし何か飲みたければ、一緒に買ってきますけど、と声をかけた。

その人はこれだけはやけに早く、いいえ、ときっぱり言い切った。

何が入っているかわからない荷物を押しつけられ、彼女が不安に感じている時間、私を図々しいやつだと思っている時間を、少しでも短くしなければと、私はあわててホームに飛び降り、自動販売機をめがけて走る。いつものように、どの缶コーヒーにしようか、じっくり悩むひまもない。モーニングと書かれた缶コーヒーをふたつ買って、新幹線に飛び乗ると、自分の座席に戻った。

礼を言って、ひと缶、手渡した。

コーヒー、お嫌いでなければ、どうぞ。

女性は身動きもせずに、差し出されたコーヒーをじっと見つめている。

知らない人から絶対に食べ物や飲み物をもらってはいけません。そんなふうに子どもの頃、私も大人に言われた記憶がないわけではない。

心配いりません。私は悪い人ではありません。その思いを伝えて女の人を安心させたい、との一心で、私は親切に言葉を添えた。

これ、今、買ったばかりですから。毒は入っていませんよ。ほら、缶も封が開いてないし、大丈夫です。

ご丁寧に、缶の口を見せて証明する。

女の人はますます不安になったのだろうか。その後、ひと言も会話を交わすことなく、新幹線は博多に向かって走り続けた。女性がコーヒーを飲んだかどうか、知る由（よし）もない。

今、あなたが水をくれたとき、そのことを思い出したんですよ。

で、そのあと、その人とおしゃべりしたんですか。

いいえ。そういう雰囲気ではなかったの、と私が笑った。

その女性、うれしかったと思いますよ。

I'm sure she appreciated it.

意外なことを、彼が言った。

さあ、どうでしょうか。

私は首を傾げた。あの女性がそんなふうに感じたとは、思えなかったからだ。この話を私は何度か人にもしてきたけれど、そのように思い返したことは一度もなかったし、そう感想を述べた人もひとりもいなかった。

でも、もしかしたら、彼が言っていることは正しいのかもしれない、とふと思った。不可解な人間だと思われたという印象が、自分のなかで現実より大きくなっていったのかもしれない。あのあと、新幹線に乗っている間、女性と言葉を交わした記憶はなかったけれど、もしかしたら、その人が降りるときに私の横を通り過ぎながら、そっと会釈（えしゃく）を返してくれたのではないか。遠い記憶をたどりながら、なんとなくそんな気がしてきた。

すると、隣の男の人は私に言った。

A little kindness goes a long way.

小さな親切は、大きな成果を生むものですよ。

あなたのちょっとした行為を、もしかしたらその女性はずっと覚えているかもしれませんよ、と彼は言っているのだろうか。

空港まで、あとふた駅ですよ。私は終点で降ります。

そう私に伝えてから、文化が違うんですね、と彼が言った。

日本は同質的な社会なので、皆と同じように振る舞うことを求められるんです。彼はおかしそうに、ここじゃあ、髪を紫に染めたり、鼻に穴を開けたりしていますからね、と笑った。

日本でもそういう人たちはいます。でも、外見が変わっても、中身まではそう簡単に変わらない。

このときも、彼は意外な言葉を口にした。

それはいいことですね。自分たちの文化や価値観を大切にすることは。そういえば、日本はお年寄りを敬うのですよね。アメリカでは親と同居しません。伝統、本質を失い、ルーツもなくなった。お年寄りと住めば、学ぶことがたくさんあるのに。

私の祖父母は四人ともイタリアから来て、ブルックリンの同じ街に住んでいました。親戚も近くにいた。私が子どもの頃、祖父母も両親も皆、ひとつ屋根の下で暮らしていましたよ。

イタリア人は家族の絆が強そうですね。

そう、大家族ですよ。私の妻もイタリア系なんですよ。

抱き合って頬ずりし合い、イタリア語がにぎやかに飛び交う彼の家族を想像する。そして愛情表現をほとんどせず、相手への思いやりを素直に伝え合うことのできない自分の日本の家族をぼんやりと思い出す。

もうそろそろ、空港駅に着きますよ、と窓の外を見ながら、彼が言った。

あなたの名前は？

マイク。ミシェルです。

マイクはマイケルの愛称だ。イタリア系ならミケーレのはずだ。私がこれからフランスに行くと知って、フランス語で言ってくれたのだろうか。

私はミツヨです。

ああ、きれいな名前だ。

ありがとう、と答えたものの、それまで自分の名前は、音が強く聞こえて嫌だと思っていた。でもその意味は気に入っていたので、言い足した。

中国から伝わった漢字で書くと、世の光という意味なんですよ。

素敵だね。あなたの家族にとって、あなたはまさに世の光でしょう。

そんなふうに日本の家族に言われたことは、もちろんない。が、あえて否定しなかった。

私の二十一歳の娘も、私にとって世の光です、と彼が言う。

二十一歳になっても、娘は世の光、と誇らしげに言えるイタリア系アメリカ人。そして、まったく異なる文化を背負った私。

列車が空港駅に到着した。

フランスはいいところだ。いい旅を。

男の人に別れを告げ、プラットホームに降り立つ。

彼はその日、午後遅くの仕事がキャンセルになり、早めに家に帰れることになった、とうれしそうに言っていた。

窓越しに彼の居場所を確かめる。

終着駅まで彼を乗せていく列車を見送りながら、手に持っていたペットボトルの水を一気に飲み干した。

A little kindness goes a long way.
小さな親切は、大きな成果を生むものですよ。

超正統派ユダヤ教へのいざない

あなたがこの建物の写真を撮り終えたら、と黒ずくめの青年は私に言うと、神妙な顔をして続けた。
Come. I'll show you something amazing.
おいでよ。驚くべきものを見せてあげよう。

その人の英語は強いなまりがあった。つばの広い黒のハットに、丈の長い黒のコートを身につけ、顎ひげを伸ばしている。私たち夫婦は彼と、正面にレジデンス・ホール(RESIDENCE HALL)と書かれた建物の前に立っていた。生活指導が徹底した日本の学校の模範生のように、彼とまったく同じ格好の青年が、ひとりふたりと中から現れてくる。彼もそのひとりだった。
夫とふたりで散策に出かけたブルックリンのクラウンハイツには、この出で立ちの男の人の姿が目立つ。十八世紀に東欧で起こったハシディズムと呼ばれる超正統派ユダヤ教の信者たちだ。大勢による祈りを重視する神秘主義的改革運動である。

この建物には、ルババビッチ派の独身の男たちが住んでいるんだよ、と彼は言う。ルババビッチ派はハシディズムの一派で、彼らのなかにはメナヘム・メンデル・シュネオルソン（一九〇二〜一九九四年）というユダヤ教の聖職者・ラビが、救世主（メシア）であると信じている人たちがいる。

私たちがしばらく建物を眺めていたので、関心があると思ったのか、首からぶら下げている一眼レフを見て観光客だと思ったのか、彼はその建物の写真を撮ったかい、と聞いてきたのだ。

驚くべきもの（something amazing）、と彼は言った。いったい何なのだろう。そう言われたら、見せてもらわないわけにはいかないだろう。夫と私は迷うことなく、大きな期待に胸を膨（ふく）らませて、その青年について建物を背に歩き出した。

あなたはラビなの？

いや、そうじゃないよ。ハシディック（超正統派ユダヤ教徒）はみんな、ラビみたいな格好をしているからね。

そう言って、彼は笑った。

見た目と違い、意外に気さくな人らしい。

彼はある建物の階段を上がり、入口の前で立ち止まった。

あなたたちふたりは、ここで別れることになります。あなたは中に入ることができません、と夫に向かって言った。

青年の言い方が突然、重々しくなったので、このまま夫と会えなくなるのではないか、と不安になる。彼は中にいる白人の女の人にイディッシュ語かヘブライ語で声をかけ、私を引き渡すと、夫を連れてどこかへ消えていった。

女の人は私を見つめ、言った。

You've come to the holiest place.

あなたは最も聖なる場所へやってきました。

そこには教会のようにベンチが並び、女の人しかいなかった。何かを読んでいる人もいれば、祈っている人もいた。その人は私を一番前のベンチにすわらせ、隣に腰を下ろした。

私は日本人だと、青年が紹介したらしく、日本人ですねと確かめると、なぜここを訪れたのですか、と聞いた。

別に訪れたつもりはないんですけど。連れてこられたんです。

私が答える。

正確に言うなら、連れてこられた、というより、ついてきたのである。

連れてこられた、というのは、どこからですか。

レジデンス・ホールの前に立っていたら、驚くべきものを見せてやるって、連れてこられたんです。

そうですか。わかりました。

Everything happens for a reason.

すべてのことは、理由があって起こるのです。

悟り切った顔で、その人がうなずいた。

すべての人に、救済の余地があるのです。私たちはユダヤ人ですから、より一層、精進する必要があります。しかし、あらゆる人が七つの戒律を守り、正しい行いをなし、よりよい世界を作る義務があります。結束のために、世界じゅうの人々がここに集まります。

私の周りには、今も女の人の姿しか見当たらない。真ん中は吹き抜けになっていて、それを取り囲むようにベンチが置かれている。最前列のベンチの前には、透明のパネルがぐるりと張り巡らされ、下の階が見えるようになっている。

立ち上がって見下ろすと、そこは黒ずくめの男の世界だった。黒いハットに黒いコート姿の男たちが何か書物を読みふけったり、祈ったりしている。大きなひげをはやした高齢者もいれば、青年も子どももいる。前に写真で見たルバビッチのシナゴーグ（礼拝堂）に違いない。

女性は、真ん中にはすわれないんですね。

それには答えず、まったく問題ありません。周りにこうしてすわれます、と言いながら、女の人が私にベンチにすわるように促した。その人は私にぴったり寄り添った。

パネルのわずかの隙間から顔を突っ込み、物珍しそうに下を眺めていると、場違いな茶色の革ジャン姿の男が、見え隠れしている。皆、現実を超越しているように映るなかで、ひとり落ち着きなく辺りをきょろきょろ見回している。

あの世俗的な男は、私の夫だ。遠慮がちに手を振ってみるが、まったく気づいていない。

それにしても、私はあの男と再会できるのだろうか。だんだん、不安が増してくる。

女の人は十か月間ほど神戸に住んだことがあるらしく、ときどき思い出したように日本語を話す。アクセサリーを売りながら、バックパッカーの西洋人などに布教活動をしていたという。

女の人は名刺サイズのオレンジ色のカードを私に差し出した。黒いハットに黒いコート、豊富な白ひげの男の人の写真が、三分の一以上を占める。文字は日本語で書かれている。

これを声に出して読んでください。

そう言って、携帯電話のカメラを私に向けた。ビデオ撮影して、ウェブサイトか何かに掲載するのだろうか。

ウェブサイトに載せるんですか、と聞くと、いいえ、そんなことはしません、ときっぱり否定してから、まあ、そういうことに使うかもしれませんが、と言い直す。

私が何やら熱心に読み上げている映像を、ここにやってくる日本人に見せ、布教活動している様子を想像する。

見てください。ルバビッチの信者は世界じゅうにいます、日本人にも信者がいるのです、ほら、この人ですよ、と。

それはできないわ。信者だと思われても困ります。

それなら、顔の一部しか写しませんから。ほら、これなら大丈夫でしょう。

その人は試し撮りをして、鼻から下だけ写った私の顔を見せる。

自分たちが信じる七つの戒律を日本語で読んでほしいというだけなら、協力してもいいかと思い、言われるままにカードの表の文字を読み始める。

メシア王は、すでに此処(ここ)におられます
ただ善行を重ねるのみ
我々はメシア王が宣言された特別な時代に存在しています
真の、そして完全なる救済は、謙虚さの中にあります

我々は救済を受けるにふさわしくあらねばなりません
救世主は永遠なり！
ラビ　メナヘム・メンデル・シュネオルソンこそは、メシアの王であられます

ありがとう、次は裏を。
その人が携帯電話をこちらに向けたまま、言う。

神がシナイ山にてモーセに与えられた七つの戒律を実行し、完全なる世界を解き明かしましょう。（GENESIS 9）
1. 唯一神を信ぜよ
2. 神を信じ、讃（たた）えよ
3. 人間生活を尊重せよ
4. 家庭を尊重せよ
5. 他人の権利と財産を尊重せよ
6. 生き物を大切にせよ
7. 司法体系の創造

That's it.
終わったわ。

私がそう言って顔を上げ、その人にカードを返す。

面倒なので、右下に書かれている小さな文字は読まずに、澄ました顔をしていた。

女の人はその小さな文字を指差し、ここもきちんと読み上げましたか、と聞いてくる。

読んでないわ。

読んでください。


あなた方にはできるはずです！

よく考え、話し、行動してください！


読んだわ。

そう言うと、その人は笑みをたたえ、携帯電話のビデオを再生して見せる。私の顔は鼻から上が隠れている。

ほら。問題ないでしょう。本当は顔をすべて出すべきなのですが、仕方がありません。

そう言うと、携帯電話を閉じた。

そして、今度はパソコンをオンにした。画面にはタイトルにJapanese（日本語）、Indonesian（インドネシア語）などと書かれたファイルが並んでいる。Japaneseをクリックすると、大学生くらいの若い日本人女性が現れた。

どういうわけか、陳列されたブラジャーか何かを背景に、「ラビ　メナヘム・メンデル・シュネオルソンこそは、メシアの王であられます」などと、神妙な顔で読み上げている。

これ、日本で撮ったんですか。

いいえ。ニューヨークのH&Mの店内です。

H&Mは日本にも進出している、スウェーデンのアパレルメーカーだ。私のように相手を疑うこともなく、この女性は素直に求めに応じたのだろうか。それも店の雑踏のなかで、ブラジャーを背景に。

インドネシア語をクリックし、これは空港で撮影しました、と言い、地元の人らしい女の人が同じように読み上げている映像を私に見せる。

Everything happens for a reason.

すべてのことは、理由があって起こるのです。

その人は、さっきの言葉を繰り返した。

あなたは導かれて、ここにやってきました。そして、日本に住んでいたことがあり、のですよ。

日本語のカードを持っている私と出会いました。私たち全員が持っているわけではない

日本は変わらなければなりません。不倫が当然のように行われています。ゲイシャ、ラブホテル、スナック、クラブ……。そして、日本人は動物を殺す前に、その肉を食べます。生き物を、生きたまま、食しています。サルの脳味噌まで食べます。

サルの脳味噌を食べるのは、中国人でしょう？

いいえ。日本人も食べるのです。あなた、私は日本に住んでいたのですよ。日本の北部では、サルの脳味噌を食べるのです。

先ほどのオレンジ色のカードには、七つの戒律の下にそれぞれ小さい文字で短い説明が加えられていた。３の下には「殺人の禁止、堕胎を含む」と書かれている。４は「非道徳的な性行為の禁止」、５は「盗みの禁止」、６は「生きた動物の生肉を食べてはいけない」とある。

面倒なので、それは読み飛ばした。指摘されるかもしれないと思ったちょうどそのとき、あなた、七つの戒律の下に書かれている小さい文字は読み上げましたか、とその人が聞いた。

読んでないわ。

読んでください、と今度は言われなかったが、なんだか見透かされているようだ。

あなたには子どもがいないのですか。

いないわ。

どうしていないのですか。

It just didn't happen.

どうしてって、できなかったからよ。

そう答えると、その人は私の目を見つめて、言った。

よく聞きなさい。メモを取るのをやめて、耳を傾けなさい。

そう、私はここでの様子を、ずっとメモしていたのだ。

私は、ペンを持つ手を止めた。

この七つの戒律を守り、十人に戒律を伝え、その人たちがきちんとそれを守るようにしなさい。そうすれば必ず、あなたに子どもが授かります。年齢は関係ありません。子どもが授かったら、私にEメールしてください。

そう言うと、私のノートとペンを取り、自分の名前とEメールアドレスを勝手に書き込んだ。

私たちが話していると、白人の女の人が近づいてきて、彼女に声をかけた。

Give me your hand.

手を出して。

そう言われて、彼女は右手を差し出す。

近づいてきた人は、そのてのひらに何かを置くと、自分の手でてのひらを閉じさせた。

何よ、これ？

てのひらを開くと、五ドル札が現れた。

彼女がお札を返そうとすると、女の人はそれを突き返し、去っていった。

その五ドルは、何？

私が聞くと、彼女が説明した。

あの人がお金に困っていたから、前に四ドルあげたの。そうしたら、それを返すって。

私はあげたのだから、返さなくていい、って言っているのに。

困っている人に、こうしてごく当たり前に手を差し伸べる集団なのかもしれない。

もうすぐ、祈りが始まろうというとき、シナゴーグにいるほかのルバビッチの信者の女の人も、ほほ笑みながら私に声をかけてきた。何しろ、信者以外はおそらく私ひとりだし、東洋人だから目立つのだ。

あなたはわざわざ日本から来たのですね。

ま、そうですけど。わざわざ日本から来たのは、ニューヨークであって、ここではありませんよ。

そう言っても、うれしそうにほほ笑み続けている。

ここはまったくの別世界です。ここには世界じゅうから人々がやってくるのです。世界で最も聖なる場所なのです。

その人は私たちに挨拶すると、外へ出ていった。と思ったら、すぐに戻ってきた。あなたの夫という人が、外であなたを探していました。ですから、「あなたの妻は祈りの時間が終わるまで、ここに残ることになるでしょう」と話しておきました。

夫はもう自由の身になっていたのか。中に荷物を置いたまま、外に出てみると、夫が手持ちぶさたで立っていた。私は布教活動の一端を担い、子どもがいないというプライバシーにまで立ち入られ、七つの戒律を守ってその結果を報告するようにとお達しを受けていたというのに、夫はざっと中を案内されると、そのまま解放されたという。日本語を話す宣教者とも出会わず、日本語のカードも渡されなかった。

せっかくだから、お祈りを見ていったら?

そういう私の提案に、それもそうだよね、と答えると、夫は再び男の世界へ舞い戻っていった。

私は再び女の世界へ帰っていく。そうこうするうちに、みんなが声に出してなにやら唱え始めた。何て言っているんですか、と日本語のカードを持っていた女の人に尋ねると、私のノートに英語で書き込んだ。

Long live our master, teacher and Rebbe, the King Messiah, forever and ever.

その人が私にささやく。

日本語で「メシア」は何と言うのですか。

「救世主」ですよ、と教えると、「ヤヤー、ヤヤー、キューセーシュー」と何度も繰り返し始めた。

やがて、辺りが静まり返った。

これからお祈りが始まりますから、話はできません、とその人が言った。

男の人たちは私たちの席から見下ろせる中央のメインの場所と、それを取り囲む席、つまり、私たちの席の真下で祈りを捧げている。背中をまっすぐにしたまま、腰の辺りから体を前に倒して、お尻を突き出す動作を繰り返し、口をパクパク開けて祈りをつぶやいている。赤ちゃんを抱きながら、祈っている男の人もいる。

礼拝が終わり、外へ出ようとすると、さっきまで一緒にいた女性の携帯電話が鳴り、彼女は話し始めた。私が手で合図して別れを告げようとすると、その人があわてて携帯電話を耳から遠ざけて、私に言った。

結果を必ず、Eメールで連絡してください。

子どもを授かったら、ということだろう。

わかりました。

ところであなたは何歳なんですか。
四十九歳よ。
その人は意外そうな、当惑した表情を見せたが、気を取り直したようにすぐに続けた。
問題ありません。赤ちゃんは授かります。
ありがとう、と私は答えた。

あれから三年が過ぎた。
結果をメールすることはなかったが、ほんのわずかな希望を私はまだ捨ててはいない。

Everything happens for a reason.
すべてのことは、理由があって起こるのです。

第2章

マンハッタンの片隅で、分かち合い

土曜日の朝のカフェ

ドアを開けると、すでに店内は朝食をとる人で活気にあふれていた。土曜日の朝、アッパーウエストサイドでブロードウエイを、「ゼイバーズ・カフェ」(Zabar's Café)に向かって私は歩いてきた。

カフェのショーウインドウの前に立ちはだかるように、七、八人がレジの順番を待っている。焼きたてのベーグルやマフィンがぎっしりと収まっているショーウインドウを、一列に並んだ人の間からのぞき込み、ブルーベリーにしようか、と少し悩んでから、バナナのマフィンとコーヒーを頼む。

カフェの真ん中に長いテーブルがあり、九人ずつ、向かい合ってすわれるようになっている。私はカウンターのほうを向いて、中央の右寄りの席に落ち着く。斜め前でカウンターを背に、六十代後半くらいの男の人ふたりが、大きな声で世界経済について語っているようだ。ひとりが話しているのに、相手がさえぎって話し始めると、さえぎられたほうが抗議する。

Hey, let me finish my thought.
おい、話の腰を折らないでくれよ。

高齢の女の人が、私の右斜め前の席に腰を下ろす。黒のウールのコートに茶色の帽子を身につけている。運んできたトレイには、全粒粉パンのようなものにスモークサーモンとクリームチーズをはさんだサンドイッチと、ダイエット・スナップルのジュースがのっている。

彼女はサンドイッチをひと口ひと口、ゆっくりと食べ始める。やがて、食べかけのサンドイッチを皿の上に戻すと、空いた手でジュースの瓶の蓋(ふた)を開けようとしている。力を入れて、何度もやってみるが、なかなかうまくいかない。

その人の前にすわっている四十歳くらいの男の人が、黙って手を差し出す。そして、女の人から瓶を受け取ると、いとも簡単に蓋を開け、これも黙って、彼女に返す。知り合いではないのに、ごく自然に、まるでその人の母親であるかのごとく。女の人もごく当たり前のように、何も言わずにただほほ笑み、瓶を受け取る。

その男性と私の間に、ヒスパニック系らしき女の人がすわった。コーヒーを飲みながら、マフィンを食べている。帰りに食料品を買いたかったので、この辺りに「ホールフーズ」はありますか、と尋ねてみる。

この辺りにはありませんよ。前はあったけれど、もう今はないわ。

彼女の目の前にすわっている男の人が、私たちの会話を聞いていたようだ。話に加わってくる。

What do you want to know?

何が知りたいんだい。

そして、近くではないけれど、と別の二店舗の場所を、まるで私がこの街を初めて訪れた観光客であるかのように、事細かに説明し始める。

私たちがやりとりしている間に、高校生だろうか、十五歳くらいの少女五、六人の集団が入ってきて、右手奥に固まって立ち話をしている。

カフェの中ほどにすわっている別の男の人が、高校生たちに向かって声をかける。

Would you please pass me some napkins?

そこのナプキンを、取ってもらえるかい。

Sure.

もちろん。

高校生のひとりが答え、ナプキンを手渡す。

しばらくすると、その男の人が、食事を終えて立ち上がった。

エクスキューズ・ミー（Excuse me.）と言いながら、高校生の脇を通り過ぎるとき、彼女たちに声をかける。

Thank you for the napkins.

さっきはナプキンをありがとう。

マンハッタンの片隅で、朝から他人同士が関わり合っている。

Hey, let me finish my thought.

おい、話の腰を折らないでくれよ。

壁のひびを突き破れ

ドウゾ。

白人の青年は日本語でそう言って、私に先を譲った。

四十二丁目沿いの入口からニューヨーク公共図書館に入ろうとしたとき、向かいから歩いてきた彼とドアの前で一緒になった。

私は日系の書店に立ち寄ってから、ブライアントパークを横切り、五番街に面したこの図書館へやってきたところだ。

Thank you.

ありがとう。

青年は日本語で話しかけたのに、反射的に私は英語で答え、図書館の回転ドアを押して中に入った。すぐにセキュリティのデスクがあり、手荷物をチェックされる。私のほうが時間がかかったので、青年は私の前を、エレベーターに向かって歩き始めた。

How did you know I was Japanese?

どうして、私が日本人だとわかったのですか。

そう後ろから声をかけると、青年は振り返り、少し照れながら、英語で答えた。

あなたが日本人とはわかりませんでした。でも、今まで紀伊國屋書店にいたので、頭の中が日本語だったんです。

私がさっきまでいた書店にこの人も偶然いて、同じように図書館まで歩いてきたのか。マンハッタンのど真ん中で、そこまで日本語の世界に浸っていたのか。それにしても、東洋人を見て、どうぞ、という言葉がすんなり出てくることが、なんだか楽しく、おかしかった。

じゃあ、日本語が話せるんですね。

青年は少し照れた様子で、チョットダケ、デス、と日本語で答えた。

仙台で英語を教えていたという。

日本を知っているニューヨーカーに、尋ねてみたいことがあった。

よければ、ちょっと聞きたいのですが。今のあなたと私のように、ニューヨークではどうして赤の他人が容易に会話を交わすのだと思いますか。東京ではあまりそういうことはないでしょう。

そうですね。アメリカのほかの街も、ニューヨークとはちょっと違いますね。ニューヨークは孤独で冷たい街です。地下鉄に乗っていても、他人とは話してはいけないと思っている。でも、話すんです。

日々の地下鉄での光景が、ニューヨークという街を象徴していると思います。行き方や乗り換えがわからなくて困っていても、声をかけなければ、誰も助けてくれません。困っていようと、途方に暮れていようと、何も言いません。

でも、声をかければ、喜んで助けてくれる。ひとりに聞くだけで、周りにいる四、五人が助けようとしてくれます。実際、うっとうしいと思うくらいに。

地下鉄で本を持っていたら、知らない人が、「おい。それ、俺も読んだよ。どうだった?」なんて声をかけてくる。まるで人との触れ合いに飢えているように。

孤独で孤立しているけれど、話すきっかけがあれば、積極的に話そうとします。

People are hungry for contact. They're lonely and isolated.

人々は触れ合いに飢えているんです。孤独で孤立していますから。

People put walls around themselves, but they aggressively look for cracks in the wall. If there's a crack in the wall, they'll push their way through it.

人々は自分の周りに壁を作っています。それなのに、壁のひびを積極的に探しているのです。壁にひびがあれば、それを突き破ります。

この人は繰り返し、孤独と孤立という言葉を使った。

New York is a very friendly city. At the same time it is very very cold.

ニューヨークはとてもフレンドリーな街だけど、同時にものすごく冷たいですね。

それにしても、この人はなぜ日本語を話すようになったのだろうか。不思議に思って、尋ねてみる。

愛ノタメニ、日本語ヲ勉強シテイマス。

青年はそう、日本語で答えた。言葉の意味がよくわからず、私は首を傾げる。

日本人女性と結婚しました。彼女のことをもっと深く知りたいから、日本語を学んでいるんです。

その人と別れ、私は図書館の、大理石の壁と柱の間に続く薄暗い階段を、三階まで一気に駆け上がった。彼が何度も口にした孤独と孤立という言葉を、否定したいと思いながら。

こちらが声をかけなくても、どうしたんですか、どこへ行きたいのですか、とこの街で声をかけてくれた人は何人もいる。そこは彼の体験とは違う。

さびしいから、人は人とつながっていたいと思うのか。

三階の西側の奥には、左右にそれぞれ読書室が広がっている。高い天井はひと続きになっていて、まるで屋外にいるように、雲に覆われた空を描いた天井画が連なっている。

その天井画の下には重厚な木製の机が並び、そこで古びた書物を読む人もいれば、パソコンに向かう人もいる。

目の前にすわっている青年は、白いイヤフォンを耳に付け、アイポッド（iPod）で音楽か何かを聴きながら、黄色のラインマーカーで大学の教科書のような分厚い本に線を引いている。

別のテーブルのどこかで、誰かがくしゃみをした。目の前の青年はイヤフォンを付けたまま、ラインマーカーを引く手を止めた。そして顔を上げると、くしゃみが聞こえたほうに目をやり、つぶやいた。

God bless you.

神のご加護がありますように。

People are hungry for contact.

人々は触れ合いに飢えているんです。

ホームレスと乗客

長い列をなして待っていた人々が皆、次々と座席に落ち着き、バスがまもなく出発しようとしていたときだ。重い荷物を引きずるように歩いてきた黒人の男の人が、のそのそと乗り込んできた。髪はぼさぼさで、顔は薄汚れている。くたびれた黒いダウンコートを着て、ビニール袋をいくつも提げていた。ひと目でホームレスとわかる風貌だった。

その朝、マンハッタン北部のワシントンハイツから、ハドソン川の対岸に向かうバスは、いつものようにニュージャージー州郊外へ働きに行く人たちで満員だった。

男はコートのポケットに右手を突っ込み、ひと握りの小銭を取り出すと、運転手に渡した。運転手はてのひらに広げて、いくらか数える。

はい、これで六十二セントだよ。

口の前のマイクを通して、運転手の声がバスに響く。

男はもう一度、ポケットに手を入れ、小銭を何枚か取り出し、運転手に渡す。運転手は同じようにそれを数える。

　これで九十六セントだ。

　男は同じポケットにまた手を入れるが、そこにはもう小銭がないらしい。コートの周りを手でバタバタとたたきながら、今度は反対側のポケットに手を入れ、小銭をひとつかみ、運転手に差し出す。

　一ドル二十三セントになったな、と運転手がうなずく。

　それを見ている乗客たちは、手を打って大声で笑っている。

　後ろのほうにすわっている男が、しびれを切らして言った。

　Let's get going. I'm going to be late.

　もういい加減、出発しようぜ。遅れちまうよ。

　同調する乗客はいない。男はポケットに手を入れては、小銭を取り出して運転手に渡し、運転手はそれを数え、いくらになったかを伝える。それを繰り返すのを見て、皆、笑い続けている。

　男がもうひとつかみの小銭を差し出すと、ついにカウントダウンに入った。

　あと、五十二セントだ。

　四十六セントだ。

　十九セントだ。

男がポケットの中に手を入れている時間が、だんだん長くなってきた。ばらばらに入っていた小銭が底を突いてきたのだろうか。運転手も乗客も、辛抱強く待ち続ける。

男はあらゆるポケットの中を探し始めた。

しまいに、運転手のカウントダウンは五セント、一セント単位になり、乗客たちも息をのんで成り行きを見守っている。

あと、六セント。

あと、一セント。

最後の一セントを受け取ると、運転手が言った。

You got it!

そうだ、やったな！


バスのあちこちから、拍手の嵐が巻き起こる。

乗客に迎えられながら、男は表情を変えることもなく、ごく当たり前のようにバスの後方へゆったりと歩いていった。

You got it!
そうだ、やったな！

〝大きなお世話〟?

友人たちとレストランに入るやいなや、見知らぬ客が私の足元を指差す。
前方のテーブルにこちらを向いてすわっている、三十代くらいの白人男性だった。
靴ひもがほどけているよ。
足元に目をやると、確かに右の靴ひもがほどけていた。
礼を言って、その場で靴ひもを結んだ。
よく気がついたわね。立ち上がって目が合ったときに、私が言った。
店内は照明が暗かったからだ。
男の人は少し誇らしそうに答えた。
I'm very observant.
僕は周囲に目を配っているんだよ。
その数日後、ニューヨークの地下鉄で、肩にかけた一眼レフを膝の上に置いてすわっていた。前に立っている五十代くらいの男の人が、私のカメラをしげしげと眺めている。ニューヨークではよく、一眼レフを持っていると、レンズをのぞき込まれたり、いいカメラだね、と声をかけられたりする。

その人は目が合うと、ニコンだね、と確認するようにうなずき、危ないからバッグにしまっておいたほうがいいよ、と忠告した。カメラに気をつけるようにと、この街で見知らぬ人に声をかけられたことは、一度や二度ではない。

バッグに入れるつもりはなかった私は、礼を言ってから、とっさのときに取り出せないので、こうして持ち歩いていることが多いけれど、使わないときはちゃんとバッグに入れているのよ、と話した。

いつも持ち歩いているって、君はフォトジャーナリストなのかい。

こうして彼が降りるまで、延々と会話が続いた。

ちょうどその頃、私の公式フェイスブックを頻繁に訪ねてくる人のなかに、日本人の名前ではない人がいた。投稿に対していつも「いいね！」をクリックするが、コメントが残されていることはなかった。名前からしておそらく中国人だろうと思いながら、その人のページをのぞいてみると、出身地は台湾と書かれていた。

ある日、その人にメッセージを送った。

いつも読みに来てくださって、ありがとうございます。どんな方なのかな、と思いながら、お名前を見ています。

すぐに返事が届いた。

初めまして!! びっくりしすぎて、涙まで出てきました、と始まるメッセージには、このように書かれていた。

私は日本・秋田県民であるママと、台湾・新竹県民であるパパの間のハーフで、曽里香(そりか、女性・四十二歳)と申します。三年前に日本国籍を取得し、今はママと同じ名字(加藤)になりました。台湾育ちなので、日本に長期滞在しに来たときは、やはり文化・人情の違いで結構、いろいろと戸惑いました。

台湾人はアメリカ人と似ていると思います。台湾人からすると、「日本人はちょっとどこか冷たい」って思ったりします。また、日本人からすると、「台湾人って、どうしてこうも図々しくて強引なんでしょう」って思ったり。ハーフである私たちは、どっちも納得します。これは、どっちがいいとか悪いとかではないです。

日本に来たばかりの頃、他人のバッグが開いていたり、靴のひもがほどけていたり、服の裾がめくれていたりすると、見かけるたびにその人に教えてあげていた。

一緒にいた日本人の知り合いに、あとで注意された。

「曽さん、そういうのを、大きなお世話って言うんです」

ショックだった。それからは気になっても、一切、言わないようになりました。というより、言わないように「しました」。

「しました」がかぎ括弧で強調されていることから、言わないようにするのは彼女にとって強い意志を要することだったのだろう。

でも、拙著「ニューヨークの魔法」シリーズで、ニューヨーカーも著者である私も、同じように大きなお世話を焼いているのを読んで、考えが変わったという。

本当に大きなお世話で、図々しいかもしれません。でも、自分は台湾育ちだから、別にこのままでもいい。そう思ったんです。

日本でも、相手が恥をかかないように、怪我をしないように、あるいは被害に遭わないようにという気持ちから、ひと言、声をかけてあげたい、と思うことは少なくない。

四月上旬のある朝、東京に住む五十代の知人が仕事に向かう途中、自分の前を母子らしきふたりが歩いているのを見かけたという。若い女の人はスーツ姿で、正装した男の子の手を引いていた。おそらくこれから入学式に参列するのだろう。

ふと見ると、母親であろう女の人が着ていた上着の背のスリットに、しつけ糸がバッテン印に付いたままだった。見て見ぬふりをしようかと迷ったが、子どもの晴れの入学式に恥をかいたら気の毒だと思った。

知人はその人に近寄り、言葉をかけた。

あの、余計なことかもしれないけど、後ろのしつけ糸が付いたままになっちゃってる。これからたぶん、入学式でしょう。よかったら、取ってあげようか。

女性はあわてたものの、あら、すみません。ありがとうございます、と礼を言い、知人が糸を取ったという。

この知人のお節介には、入学おめでとう、という祝福の気持ちがこもっているように、私には感じられた。


ニューヨーカーは〝大きなお世話〟が大好きだ。自分が気づいたことや知っていることを相手にも教えてやらなければ、という使命に燃えている人も少なくない。

スーパーマーケットのレジで列に並んでいたとき、すぐ後ろの人が私の買い物かごをのぞき込んでいた。白人の女の人で、六十歳くらいだろうか。目が合うと、その人は自分のカートの中からオレンジジュースの紙パックを取り出した。

その隣にこれがあったでしょう。こっちが特価品だから、交換してきなさいよ。

特価品には気づかなかったが、取り替えに行っていては、レジの順番が来てしまう。

私の前にはふたり並んでいて、すぐ前の女の人のカートには二十品ほど入っていた。

ためらっていると、私の思いを察したのだろう、後ろの女性が言った。

大丈夫。まだ間に合うから。取り替えてきなさい。

私はいつも飲んでいるジュースを、何気なく手に取っただけだった。ブランドにこだわりはなかった。特価品があることに気づいていれば、そちらを選んだかもしれない。

私は小走りで、オレンジジュースの売り場へ戻る。女の人が持っていたブランドが、確かに特価品で安くなっている。それと取り替えてすぐに戻ろうとしたが、レジがいくつもあり、どこにいたかわからなくなった。

迷っていると、先ほどの女の人が私に手を振り、ここよ、ハニー、と合図している。列の最後尾には、さっきまでいなかった男の人が並んでいた。彼が文句を言っているわけでもないのに、彼女は私の腕を取って引き寄せ、その人に懇切丁寧に説明する。

この人はさっきからここにいたんですよ。買うジュースを間違えたんで、ちょっと交換に行っていただけなの。

女の人は、自分の前に並ぶようにと、私を手で招き入れる。そして、思い出したように、私が持ってきたオレンジジュースのブランドを、カートの中の自分のそれと見比べ、同じかどうか確認すると、やっと安心したらしく、大きくゆっくりうなずいた。

I'm very observant.
僕は周囲に目を配っているんだよ。

ふたり掛けのテーブル

この大手書店のカフェの奥には大きな窓があり、そこからユニオンスクエアを何にも邪魔されずに見渡すことができる。公園は広場になっていて、週末のその日はいつものように白いテントが軒(のき)を並べ、郊外の農場から運ばれた野菜や果物、乳製品、ワイン、絵や写真、工芸品などが売られていた。

ここで野外市場が開かれていると、とくに買いたいものがなくても、ひと通りあちこちのテントをのぞくのが習慣になっている。

カフェではコーヒーを飲んだりマフィンを食べたりしながら、書店の棚から取り出した売り物の本を読むことができる。頭の高さまで本を積み上げて、何か書き物をしている人、買ってもいない本を見ながらパソコンに打ち込んでいる人、テーブルの上に雑誌を開いたまま、携帯電話で話し込んでいる人などで、その日もいつものように混雑していた。

私のお気に入りの窓際のテーブルには、もちろん先客がいた。よほど運がいいか、開店する朝十時に来なければ、お目当ての席にすわるのは難しい。

どこか空いているテーブルはないだろうかと見回していると、ちょうど窓際のテーブルで若い女の人が立ち上がり、バッグを手にして席を離れようとしていた。私が近づいていくと、テーブルの反対側にはもうひとつ椅子があり、六十代くらいの白人の男の人が、狭いテーブルに不釣り合いな大きな体を丸めて、本を読んでいた。

女の人は何も言わずに立ち去ったので、他人なのだろう。ニューヨークのカフェでは、見知らぬ人同士がこうしてテーブルに向かい合ってすわるのは、珍しいことではない。

下を向いたまま読みふけっている男の人に、ここにすわってもいいですか、と声をかけた。

その人は顔を上げ、もちろんですよ、と答えると、すぐにまた本に目を落とした。

向かいの椅子に腰を下ろしながら、読書中の彼をちょっと邪魔して、冗談を言ってみる。

It looks like someone is always keeping you company.

いつも誰かが、あなたのそばにいてくれる、っていうことみたいですね。

男の人は再び顔を上げ、そうなんだよ、と笑った。

そばにいる相手が交替したのに、そこに居続けているわけを分かち合いたかったのだろうか。彼は話し始めた。

今、ベルビュー病院の本を読んでいるんだよ。ここで働いていた医者が、十二人のさまざまな患者について書いているんだ。実際、そこにいる人たちを知っているし、とても面白くてね、と言い、本を閉じて表紙を私に見せた。

そこにいる人たちというのは、患者ではなくて、スタッフのことなのだろう。ベルビューは十八世紀にニューヨーク市に設立された、アメリカで最古の公立病院だ。とくに精神科がよく知られているため、そのイメージが強い。

前に別のカフェで突然、私の似顔絵を描き始めたミミという女の人がいた。後日、彼女が誘ってくれた朗読会に行くと、好き勝手に書いてきた詩や小説の一部をひとりずつ読み上げたあと、皆がまちまちの振りで踊り始めた。元トップレスダンサーという女の人などが踊る様子をミミが眺めながら、この朗読会のお陰で、あたしはベルビューに入らなくて済むんだからね、と笑っていたことを思い出す。

私はテーブルの上にカーディガンを置き、コーヒーを買ってきたいので席を取っておいてもらえますか、とその男の人に尋ねると、ああ、もちろん、と快く引き受けた。ミルクや砂糖が置かれたカウンターに、水の入ったピッチャーがあったので、プラスチックのカップふたつに水を入れ、よかったらどうぞ、とその人の前にひとつ置く。

彼は少し驚いた様子で顔を上げ、ああ、ありがとう、と答えた。

しばらくすると、今度は彼が立ち上がり、ちょっと外でたばこを吸ってきたいんだ。

ついでに息子を探してくるんで、荷物を見ていてくれるかい、と言ってカフェを出ていった。その人がすわっていた足元には、大きめのボストンバッグが置かれている。

彼は二十分ほどで、戻ってきた。

息子さんは見つかりましたか、と聞くと、いや、いないね、ここで待ち合わせたんだが、と首を横に振り、ため息をついた。

しばらくして、書店の本棚を見たくなった。これではまるでお互いの荷物番だ、と思いながら、本を取ってきたいのだけれど、と彼に言うと、いいよ、行っておいでよ、とほほ笑んだので、席を立った。

十分ほどでテーブルに戻ってくると、おお、本を抱えてやってきたね、と彼が顔を上げた。

この街について本を書いているから、参考に読んでみようかと思って。

私がそう言うと、男性が背筋を伸ばして、自分の胸を指差した。

私はマンハッタンのレノックスヒル病院で生まれた。七十七丁目とレキシントン・アベニューだ。育ったのは三番街、六十三丁目と六十四丁目の間だ。生粋（きっすい）のニューヨーカーだよ。君の取材相手として、最適じゃないか。

私はその人のニューヨーク物語を聞くことにした。

彼は咳払いをひとつふたつすると、かしこまって話し始めた。

私は一九四五年にマンハッタンで生まれた。ここで育ち、青春を過ごし、六十代になるまでずっとこの街を見てきた。それなのに今でも毎日、何か新しい驚きがあるんだ。ニューヨークでは何でも起こり得るから、別段、驚くこともなくなるはずなのに、やっぱり新たな驚きがある。

七〇年代に比べて犯罪も減り、ずっと安全な街になった。この街はラガーディア市長の黄金時代に戻ったんだ。

フィオレロ・ラガーディアは、世界恐慌時代の一九三四年に市長になり、四五年まで三期にわたって務めた。かなり独裁的で強引だったが、カリスマ性が強く、ニューヨーカーの人気を集めた。市民の市政への信頼を取り戻し、この街を再生させた。

今、こうしてユニオンスクエアを眺めていても、ほら、遊び場ができて、子どもたちがたくさん遊んでいるだろう。ベビーカーを押している人を、よく見かけるようになった。ここから郊外に移り住んだ人たちも、もう一度マンハッタンでやってみようか、子どもを育ててみようか、と戻ってきている。

でも不動産はどんどん値が上がっていく。家賃も高すぎる。それが最大の問題なんだ。この街に住みたいのに、住めない人たちがいる。悲しい現実だ。

それから彼は、ニューヨークの歴史について語り始めた。大理石のライオン像が正面の石段の両脇に立つ、五番街沿いのニューヨーク公共図書館。それはかつて貯水池だった場所に建設されたこと。ニューヨーカーの憩いの場であるワシントン・スクエアは、貧困者や身元不明者の墓場だったこと。そして、そののちには黄熱病で亡くなった人々が、衛生上の問題により、当時の市街地から離れていたこの場所に葬られたこと。だから、人々が集まってギターを弾き、歌を歌い、踊り、チェスを楽しんでいるあの広場の下には、今も無数の亡骸が埋められているんだよ。

彼はこよなく愛する自分の街について、知る限りを私に吐き出すように話し続けた。きっとこれまでにこの書店のカフェでも、ニューヨークの街について本を読みふけっていたのだろうと思いながら、私は彼の話に耳を傾けている。

生粋のニューヨーカーは、とても親切だよ。礼儀正しくて、フレンドリーで、ユーモアのセンスがある。ここは世界で最高の街だと、私は思っているよ。

この街が素晴らしいのは、これだけ多くの国籍、民族的背景、宗教、人生観を持つ人たちが集まっているのに、皆が手を取り合って、それはそれはとてもうまく暮らしているということだ。誰もが生きるのに一生懸命で、ほかの人に対して敵対心を抱いたり、嫌な思いをさせたりしているひまはないんだ。この街はごく自然な形で多様化していった。

アメリカをだめにしているのは、共和党だ。ニューヨークは政治的にはリベラルで、極端に民主党びいきが多い。移民は歓迎される。ほかの街で見られるような、移民に対する嫌悪感はない。もちろん、移民が多すぎると街の雰囲気が変わるなどといった、不満が聞こえてこないわけじゃない。でも、ヒスパニック系やアジア系は、ニューヨークのキーカルチャーだ。

中近東の人たちは孤立する傾向があるが、それもだんだん変わっていくだろう。九・一一（同時多発テロ）事件のあと、ブルックリンでアラブ系移民の店が石を投げつけられたなんてことがあったけれど、それも長くは続かなかった。

でも、と彼は少し険しい表情で続けた。ニューヨーカーは九・一一を忘れはしない。再び同じことが起きたときには、黙っていないよ。私たちを甘く見ちゃいけない。これはジョークじゃないんだ。誰もそんなことを口には出さないけれど、暗黙の了解がある。

彼は大手投資会社で株のブローカーをしていたという。

でも今は、ブローカーにコミッションを払おうなんて人はいないんだよ。ネットで売買できるからね。ある仕事で一年間、テキサス州オースティンにいて、戻ってきたばかりなんだが、それはうまくいかなかった。

今はブルックリンの東の端にあるロッカウエイの小さなアパートに住んでいるという。地下鉄は通っているが、マンハッタンまで一時間以上、かかるはずだ。

ロッカウエイというと、なんであんな辺鄙（へんぴ）な場所に、なんていう人もいるが、いいところだ。海のすぐそばで。ブルックリンは水に囲まれているから、そのために太陽が当たると建物の色が深みを増して、とても美しく見える。私が話したアーティストたちは皆、ニューヨークのどの場所よりブルックリンは色がきれいだ、と口をそろえていたよ。

ほかにまだ、君に伝えることがあるかな、と言って、彼は話を終えた。

ニューヨークについて書くなら、読むといいよ、と彼が薦(すす)めてくれた本を探しに、私はもう一度、席を立った。

私が戻ってきてしばらくすると、またちょっとたばこを吸ってきたいんだが、君はあとどのくらいここにいるんだい、と尋ねた。

そろそろ出るつもりだったが、たばこを吸う間なら荷物を見ていてもいいと思い、十分くらいかしら、と答えた。

その人は困ったような表情になり、十分か、それじゃ、ちょっときついな、また息子を探しに行ってきたいんだ、と言うので、じゃあ、二十分いてもいい、と考え直した。

それはよかった。もし若い男がやってきて、誰かを探しているようだったら、私はここにいると伝えてくれ、と言い残し、荷物を置いて外に出ていった。

あの大きなボストンバッグを持ち歩いているということは、彼はテキサスから戻ってきたばかりなのだろうか。私は彼の息子の容貌も体型も服装も何も知らないけれど、ときどき本から目を離しては、辺りを見回していそうな人はいないか、確かめていた。

窓の外に目をやると、ユニオンスクエアでは野外市場が終わろうとしていた。テントが片づけられ、新鮮な食材などを求めて集まってきた人々も、ニューヨーク市のあちらこちらや郊外へと散っていく。名前も知らない目の前にいた男の人が、この広場のどこかでたばこを吸いながら息子を探しているのだろうかと、ぼんやり眺めていた。

男の人がテーブルに戻ってきた。

息子さんは？

いなかった。

ここで待ち合わせたんですか。

待ち合わせたというわけでもないんだ。でも私はよくここにいるから、探しに来るだろうと思った。会えないと、今夜、息子のところに泊まれなくなるな。

息子さんのアパートがどこか、わからないんですか。

わからない。

何か事情がありそうだが、それ以上は聞かなかった。

隣のテーブルでは、東洋系の男の人がチラシのようなものを広げ、さっきから黙々と作業をしていた。いつの間にか、私のテーブルのすぐ脇の床に、中年の白人女性が腰を下ろして、本を読んでいた。満席で、椅子にすわれなかったのだろう。

女性はふと顔を上げると、目の前のテーブルで東洋系の男性が作業しているチラシをのぞき込み、何やら声をかけている。

やがてふたりは、まるで長年の知り合いのように、親しげに話し込んでいた。

私は、この街でとても孤独な時期があったことを、思い出していた。二十代後半で、遠くに住む恋人と別れたばかりだった。人ともあまり会わず、心を閉ざしていた。何かに、誰かに、自分の心を満たしてほしかった。

あれから私のなかで何かが変わった。あの頃の私は、今のように他人とテーブルをシェアするようなことはしなかった。テーブルが空いていなければ、ほかのカフェを探していただろう。

日本のカフェでも人々は、テーブルがすでに使われていれば、たとえ椅子が空いていてもそこにすわろうとはしない。ひとりの客が多い店では、テーブルの片側に、空いた椅子がずらりと並んでいる光景をよく見かける。ふたり掛けのテーブルに、他人同士が向かい合ってすわることはまずない。

もうそろそろ帰るわ。

目の前にいる男の人にそう言って、席を立った。

そうか。君は明日もここに来るのかい。

翌日は、友人の家で夕食に招待されていた。

わからないけれど、来られるとしても、夕方にちょっとだけ。

そうか。私は来るつもりだ。また会えるかもしれないな。

私が去ったあと、今度は別の誰かがこの椅子にすわり、彼とテーブルを分かち合うのだろうか。

男の人に別れを告げ、訪れるかもしれない見知らぬ誰かのために席を空けると、私は立ち去った。

振り返ると、彼がにこやかに私に向かって手を挙げていた。


翌日の夕方、その人のことが気になり、友人の家に行く前に同じカフェに立ち寄った。

私たちがすわっていたテーブルのふたつほど手前の席に、彼の姿があった。ひとりですわり、その日も本を読んでいた。私が近づいていくと、彼が気づいて手を挙げた。

It looks like no one is keeping you company today.

今日は誰も、あなたのそばにいないというわけですね。

私がそう言うと、彼が笑った。

昨日は息子さんに会えましたか。

いや。会えなかった。

じゃあ、どこに泊まったんですか。

彼はしばらく沈黙し、口ごもりながら、「ウォール街を占拠せよ」（Occupy Wall

Street）の仲間のところに行ったんだ、とぼそっと答えた。

二〇一一年九月十七日にニューヨークのウォール街で始まった反格差社会デモだ。公園に寝泊まりし、抗議活動を行っていた。

聞いてはいけないことを、聞いてしまった気がした。不動産の値がどんどん上がっていく。家賃も高すぎる。この街に住みたいのに、住めない人たちがいる。悲しい現実だ。

昨日、そう話していたのが、彼自身のことであってほしくない。マンハッタンで生まれ育ち、こんなにもこの街を愛している。

また会えて、よかった。

僕もだ。

足早にカフェを出ていこうとする私に向かって、その人は昨日とまったく同じように、にこやかに手を挙げていた。

　　It looks like someone is always keeping you company.
　　いつも誰かが、あなたのそばにいてくれる、っていうことみたいですね。

第3章

予想外のできごと

LIVE ENTERTAINMENT
AND SPOOKY SPECIAL EFFECTS
EKYLL & HYDE
CLUB
OPEN EVERYDAY
FOR LUNCH AND DINNER
KISS ME
NOW
IRISH!
GUINNESS

砂糖とミルク入りのコーク

パリ行きのフライトに乗るために、チェックイン・カウンターへ向かった。ニュージャージー州のニューアーク・リバティー国際空港で、久しぶりにその大手航空会社を利用する。

地上勤務職員に横柄（おうへい）な態度で、機械でチェックインするように指示されたあと、荷物を預けるために、どこに並べばよいのか戸惑っていた。搭乗券を見せ、そばにいた別の職員に尋ねた。その女性は私の搭乗券を確認する。

Go there.

あっちへ行け。

愛想のかけらもなく、顎（あご）をしゃくって、あっちと指図する。顎をしゃくった方向があいまいで、いったい、どこへ行けばよいのかわからない。

あっち、ってどっちですか。

That way!

あっちだよ！

あっちあっち、と頭ごなしに言われても、あなたと違って、私は毎日ここで生活しているわけではないのだから、わからないんですよ、と言い返したくなるところを、ぐっと堪える。また尋ねれば、叱られそうな勢いなので、思った方向へ歩いていくと、後ろから今にも嚙みつかんばかりの大声が追いかけてくる。

I said that way!

あっちだって、言ったでしょ！

接客は世界一といわれる日本で生まれ育った私である。思わずむっとする。あなた、私は客ですよ。何なんですか、その態度は。と反撃したくなるところを、ここは米系会社だ、我慢、我慢、と自分に言い聞かせる。これから花の都パリへ向かうというのに、まことに気分が悪い。

なんとか無事にゲートまでたどり着き、その航空会社の飛行機に乗り込んだ。

五十代くらいの白人の女性客室乗務員が、飲み物を配り始めた。

What would you like to drink, sweetie?

スイーティー、あなたは何を飲みたいのかしら。

私に sweetie と呼びかけている。

sweetie は dear や honey などと同じように、親しみを込めて相手を呼ぶ表現だが、そのような呼びかけを使う客室乗務員に出会ったのは、初めてだったかもしれない。

コーヒーをお願いします。

ミルクと砂糖は？

そう聞かれた瞬間、コークを飲みたくなった。

やっぱり気が変わりました。コークをください。

コークにミルクと砂糖を入れますか。

彼女がわざと真面目な顔で聞く。

はい、もちろん、と私も平静を装って真面目に答える。

その人はプラスチックのカップに氷を入れ、缶コーラをとくとくと注いで、私に差し出す。

Sweetie, here's your Coke with milk and sugar.

スイーティー、はい、ミルクと砂糖入りのコークよ。

ありがとう。

You're welcome, sweetie.

どういたしまして、スイーティー。

通路をはさんで隣にすわっているいかつい黒人の男の人も、スイーティーと呼ばれながらコーヒーを受け取っていて、それを見ている私も思わず顔がほころぶ。彼女は乗客に話しかけるときに必ず、sweetie と呼びかけの言葉を使っている。

しばらくしてからトイレに立つと、その人が飲み物のカートを押しながら、トイレのすぐ脇のギャレー（配膳室）に戻ってきた。

あなたはいつも、乗客に sweetie と言うのですね、と私が声をかけた。

彼女は笑いながら、うなずいた。

お客さんの名前はわからないものね。そんなふうに呼びかけられて、うれしいかどうかもわからないけれど。

そう呼びかけられたら、誰でも、幸せな気持ちになると思いますよ。

その人はうなずき、少し間を置いてから、言った。

And you *are* beautiful.

あなた、なのか、あなたたちなのか、you なのではっきりしないけれど、あなたがたお客さんは皆、素晴らしいわ、ということなのだろう。

ありがとう、と私は乗客を代表して、礼を言う。

飛行機がパリに到着した。降りるとき、クルーメンバーのなかにあの客室乗務員を見つけた。

Thank you, sweetie.

ありがとう、スイーティー。

私は彼女に言った。

一瞬、反応に戸惑った様子だったが、さっき、スイーティーの話をした乗客だと気づいたのだろう。

やられたわね、とちょっとはにかんだような表情を浮かべたが、すぐに、まあ、ありがとう、と口元に笑みをたたえて彼女は答えた。

搭乗前の立腹も忘れさせてくれた、砂糖とミルク入りのコークのような甘い思い出である。

Sweetie, here's your Coke with milk and sugar.
スイーティー、はい、ミルクと砂糖入りのコークよ。

GROUND CENTRAL
COFFEE BAR

チケットを待ちながら

運がよければ、もしかしたらチケットが手に入るかもしれないと、あまり期待もせずに劇場まで行ってみた。

その夜八時から公園のちょうど真ん中辺りにあるデラコート野外劇場で「イントゥ・ザ・ウッズ」（*Into the Woods*）というミュージカルが上演されることになっていた。

夏になるとセントラルパークでは、ニューヨーク・フィルやメトロポリタン・オペラの野外コンサート、シェークスピア劇などが、無料で催される。チケット配布はその日の午後一時に始まるが、無料とあってチケットを手に入れるために、人々は早朝から並び出す。

劇場に着いたのは午後七時頃で、辺りはまだ明るかった。ボックスオフィスに行くと、予想通り、チケットは一枚も残っていなかった。

キャンセル待ちの人もとても多いから、まず無理だと思うわ。ほら、あそこにあんなに並んでいるでしょう、と係の女性が私の後ろのずっと向こうを指差した。

振り返ると、地べたにすわった人たちが、延々と列をなしていた。それでも、せっかく来たのだから、本でも読みながら、並ぶだけ並んでみようと思い、そちらに向かって歩き始める。列はいったん途切れ、その後ろにまた数十メートルの長い列が続いていた。

途切れた列の先頭に、三十代くらいの女性のふたり連れがすわって本を読んでいた。

ちょうどひとりが顔を上げ、私に向かってほほ笑んだ。

あなたたちは何時から並んでいるの、と声をかけた。

午後三時頃かしら。いつもそのくらいの時間に来るのよ。チケットを取りに来なかったり、キャンセルがあったりして、たいていチケットを手に入れられるの。ただ待っているわけじゃないし、自分の部屋にいるよりずっと楽しいわよ。緑に囲まれて、食べたり飲んだりしながら、本を読んで。見知らぬ人とこうして知り合って、おしゃべりして。

連れの女の人がうなずいた。

ふたりは地元に住んでいるのだろう。そして、ニューヨークが好きに違いない。

夜の観劇はもう、諦めてもいいと思った。その代わりに、ふたりがこの街についてどんなふうに感じているのか、聞いてみたかった。

そう話すと、もちろんいいわよ、と言って、私のために場所を空けた。

彼女たちと同じように、何も敷かずに地べたにしゃがみ込んで、ふたりと向かい合った。さっき、最初に顔を上げた女の人が、まず話し始める。まるで私と出会い、こういう質問をされることを知っていたかのように、言いよどむことなく一気に語った。

ニューヨークはとにかく個性的な街ね。ロンドンにもボストンにも住んだことがあるし、未知の土地を訪ねるのもとても好きだけれど、しばらくすると、ここに戻ってきたくなる。ほかの街にはまねのできない何かが、ニューヨークにはある。活力と、ここに住む人たちの仲間意識みたいなものかしら。それは、ほかの街では感じたことがないわ。ボストンはもっと規模が小さくて、歴史のあるいい街よ。ニューヨークはいつも何か新しいことが起きて、決して古くならない。この街で退屈するなんてことは、有り得ないのよ。

彼女はニューヨーク郊外にあるウエストチェスターのチャパクワで生まれたという。ヒラリーとビル・クリントンも家を構える高級住宅街だ。

でも小さな町よ。ニューヨークに住むことができて、私は今、とても幸せなの。夫はマンハッタンで生まれ育ち、ほかの町に住む気はまったくないわ。

あなたは、ともうひとりの女の人に尋ねた。彼女はイーストリバーの向こう側のクイーンズで生まれ育ったという。

クイーンズの話をしていると、列の誘導係をしている体格のいい男の人が、向こうで何やら大声で叫んだ。彼女の声がまったく聞こえなくなったので、私たちは苦笑する。

学校にはさまざまな人種や民族の友だちがいたから、子どもの頃から多様性のある環境で育ったわ。シカゴの大学に行って、そこで四年間を送ったの。シカゴはとても過ごしやすかったけれど、あの大都会でさえ、もう十分、という感じだったわ。発見することは、もう何もないというような。

ニューヨークは逆に、刺激が多すぎて、圧倒されてしまう。すべてをしっかり把握することはできない。でもそれがまた、魅力なのよね。

この街はひと筋違う道に入ると、雰囲気ががらりと変わる。人々が叫んだり、怒鳴り合ったりしている喧騒から、静かで穏やかな自然にすぐに逃れることができる。

ほかの町にいる友だちは、うちの三倍くらい広いアパートに、わずかの家賃で住んでいる。ばかげているわ、いったい私、何をしているの、なんて思ったりするけれど、そういう犠牲を払える人でないと、ニューヨークには住めないわね。

すぐそばで、子どもがにこにこしながら、母親らしき女の人に向かって手をたたき、足をばたつかせている。女性の話に大いに賛同しているようで、思わず三人で笑い出す。

この街に来ては、去っていく友だちもいる。居心地が悪いらしいわ。スペースは狭いし、街のスピードは速いし。

ここで私が口をはさんだ。

ニューヨークで深い孤独を感じる人もいるのではないかしら。

そう、まったく同感よ。この街では、深い孤独に陥りやすい。見知らぬ人と友だちになるのも簡単だけど、それと同じように、そうはならないのも簡単なこと。見知らぬ人と親しくなる人もいれば、孤独に陥る人もいる。その違いは、どこからくるのかしら、と私が問いかける。

初めに話した女の人は、それまでじっと聞いていたが、沈黙を破り、まるで命令するかのようにきっぱりと言った。

You have to be proactive.

何かが起こるのを待ってそれに反応するのではなく、何かが起きるように自分が行動する、という意味だ。

You absolutely have to be proactive.

絶対にproactiveでなければ、だめよ。私自身、ずっと、そういうへまをやらかしたから。proactiveじゃないというへまを。自分の殻を破って、外に出て、何かしようとしなかったから、とても孤独だった。一千万人近くの人がいるこの街で、誰よりも孤独な人間に成り得るの。行動を起こすのは、どんなことでもいいの。バーに行ってもいいし、仕事仲間と何かしてもいい。自分の好きなことを見つけて、やってみるのよ。

U2というアイルランドのロックバンドが好きなこの人は、U2のコピーバンドのコンサートに出向いた。そこで知り合った人々を通じて、夫と出会ったという。

今、ブルックリンのキャロルガーデンに住んでいるの。こういう言葉をあまり使いたくないんだけど、あの辺りはどんどんヒップになっていって、家賃も物価もすっかり高くなってしまったの。ニューヨークはアパートが狭いし、住宅環境はよくないわ。三十五歳にもなってコインランドリーで洗濯しているなんて、夢にも思わなかったもの。この街が大好きだから、ここにいたい。ほかのところに住むなんて考えられないわ。でも、いつか私たちも、ニューヨークに留まれなくなるかもしれない。

先ほどの係の人が再びやってきて、前に進んでください、立って、荷物をまとめてください、と声をかけた。列が動き出したようだ。

劇場も近づき、いよいよふたりにも、チケットが手に入りそうな気配だ。

私たちはあわてて、お互いの名前を尋ね合った。

連絡先よ、とふたりはそれぞれ、私に名刺を差し出した。二枚とも、『ローリング・ストーン』誌のジャーナリストと書かれていた。

隔週発行のアメリカの有名雑誌で、音楽だけでなく、音楽と深い関わりのあるリベラルな政治やポップカルチャーも扱う。

ふたりは楽しそうによく笑った。でも、話し好きそうなあの人にも、この大都会で孤独だった日々があったのだ。

ニューヨークでは三割の人が、収入の半分を家賃に費やしているという。あのふたりが、大好きなこの街で、いつまでも暮らすことができるといい。

さて、私はこれからどうしよう。おしゃべりしていてさっさと並ばなかったから、チケットを手に入れるチャンスはますます遠ざかってしまった。

新しい出会いがあったから、後悔はなかった。

でも、万に一つの可能性で、さらに楽しい夜になるかもしれないではないか。

You have to be proactive.

積極的に行動を起こさないと。

私はふたりが先頭に立つ列の最後尾に向かって、もう一度、足早に歩き始めていた。

You have to be proactive.
積極的に行動を起こさないと。

セントラルパークの森の奇跡

『ローリング・ストーン』誌で働くふたりと別れ、私は列の最後尾に並んだ。このミュージカル「イントゥ・ザ・ウッズ」に誘ってくれたのは、友人のマリーパットだった。

その前日の金曜日深夜、パソコンをオンにすると、彼女からメールが届いていた。

Wanna go to a play in the park tomorrow eve[ning]. Meet Monte & Sal at 7:00 am to get tickets at the Delacorte Theater in Central Park tomorrow morn[ing].

明日の夜、公園でやる劇を観に行きたい。明日の朝、セントラルパークのデラコート劇場でチケットを手に入れるために、七時にモンティとサルと待ち合わせして。

彼女らしい唐突な文面だ。最初の文は、疑問符を打ち忘れたのだろう。サルが誰なのかを説明するわけでもない。モンティはマリーパットの夫だ。サルはおそらく、ふたりの友人だろう。あなたも行きたかったら、モンティとサルがチケットを手に入れるために朝七時に劇場で並んでいるから、その時間に来たら？　ということなのだろう。

　モンティは週日、一日中働いていて、マリーパットはすでに退職したから時間はあるというのに、自分ではなくモンティが並ぶというのも、彼ららしい。

　並べば、ひとり二枚もらえる。行きたければ、朝、来るように、ということは、私の分はないのだろう。疲れていたので、翌朝はゆっくり寝ていたかった。何年か前から、抽選だが、ネットでもチケットを手に入れられるようになったらしい。その夜、登録し、初めてネットで応募してみた。結果は当日の午後三時までにメールで届くという。

　当日は朝からかなり雨が降っていた。雨が激しいけれど、モンティはパークに行ったのかしら、とマリーパットにメールすると、返事が届いた。

　この雨のなか、並んでいるのよ。信じられる？　六時四十分にパークに着いた、ってモンティから電話が来たわ。すでに二百五十人も並んでいたんですって。私だったら、エルビスの実物が来たって、雨のなかで待ったりしないわ。う〜ん、やっぱり、エルビスのためなら、するわね。「ラブ・ミー・テンダー」を私のために歌ってくれたら。

　やはり、マリーパットは、エルビス・プレスリーの時代なのか。彼女にも、ネットで応募するように頼んだ。その日、ランチの約束があったジェネファーにも、一緒に行きたければ応募して、とメールしておいた。が、結局、誰も当たらなかった。

　ジェネファーがランチに指定したアッパーウエストサイドのカフェは、たまたま劇場まで歩いて二十分ほどの距離にあった。もししばらくこの辺りにいるなら、夕方七時頃に劇場に行ってみれば？　キャンセルがあったら、チケットが手に入るかもしれないわよ、とジェネファーが言う。

可能性は低いだろうと思ったが、とりあえず、パークへ歩いていってみたのだ。


私はバッグから本を取り出して、読み始めた。列はほんの少しずつ動いている。やがて、左手に見える空が夕焼けでオレンジ色に染まっていくのを、しばらくぼんやりと眺めていた。

ふたたび本に目を落とし、読みふけっていると、誰かがこちらのほうに向かって歩いてくる気配を感じた。

Are you single?

おひとりですか。

その声はすぐそばで聞こえたので、顔を上げた。五十代くらいの白人の男の人だ、脇に立って私を見ている。独身ですか、という意味ではなく、ひとりで待っているのですか、という意味であることは察しがついた。

そうですけど。

すると、彼が言った。

Here's a ticket.

チケットですよ。

そして、私にチケットを一枚、差し出した。

わけがわからず、私はその人を見つめる。

二枚持っているので。一枚どうぞ。

私が戸惑っていると、よければ、どうぞ、と繰り返した。

どうしてよ？　私だってひとりなのに。

私の三人前に並ぶ若い女の人が、悔しそうに私たちを見て言った。

あの人は私より前に並んでいるから、彼女がもらうべきなのでは。

目の前のチケットを受け取らずにそう言うと、男性が意外そうに聞いた。

あなたはほしくないんですか。

あの人は私より前に並んでいるが、私のすぐ前のふたりだって、そうだ。それどころか、何十メートルも並んでいる人々のなかに、ひとりで来ている人は大勢いるはずだ。

にもかかわらず、ほとんど最後尾に立つ私に、チケットを差し出しているのだ。

受け取らなければ、この人の厚意を無にしてしまうことになり、失礼だと思った。

腕時計を見ると、開演までもう十分しかない。

本当にいいんですか。

もちろんです。

私はチケットを受け取ると、列を離れてその人と一緒に足早に劇場へ向かった。

私は化粧室に寄っていきたかったので、じゃあ、のちほど座席で、という彼の言葉で、その場は別れた。

開演ぎりぎりに、チケットに書かれた座席に着いた。中央左寄りの前から五列目の席だった。左隣には東洋系の青年がすわっている。右隣は高齢の白人女性で、私が息せき切って駆けつけると、笑顔で声をかけてきた。

Just in time. Congratulations!

ちょうど間に合ったわね。おめでとう！

チケットをくれた男の人はどこにいるのだろう、と辺りを見回したけれど、暗くなりかけていたので、顔がよくわからなかった。

今、とても親切な男の人が、チケットをくれたんですよ、と右隣の女の人に話していると、その人のふたつ向こうの席で、やあ、と先ほどの男の人が顔を出した。

さっきから君に合図していたのに、まったく気づいていなかったね。

セントラルパークの木々を背景に、舞台はセットされている。そよ風で木の葉が揺れ、月明かりがこぼれる。

魔女が呪いをかけたため、パン屋の夫婦には子どもが授からない。夫婦は深く暗い森の中へと入っていく。ミルクのように白い雌牛、血のように真っ赤なずきん、トウモロコシのように黄色い毛、金のように純粋に輝く靴。この四つが手に入れば、魔女の呪いが解けるのだ。

パン屋の夫婦、ジャックと豆の木、赤ずきんちゃん、シンデレラといった童話の世界の人物たち、そして私たちも一緒に、セントラルパークの森から、物語の森へ。摩訶(まか)不思議な世界へと引き込まれていく。

ミュージカルが終わり、チケットをくれた人にもう一度、礼を言った。

Did you enjoy it?

楽しかったですか。

その人が私に聞いた。

ええ、とっても。

そう答えると、それはよかった、とうなずいた。

劇場を出て、公園を一緒に歩く。

あんなにいい席が取れるなんて、彼は早朝から公園で並んだのだろうか。配布されたチケットなら、隣同士のはずだ。いったい、どのようにチケットを手に入れたのだろう。聞きたいことはいろいろあったけれど、知らなくてもいい、と思えた。

でも、ひとつだけ、尋ねてみたいことがあった。

どうして私に、チケットをくれたんですか。あんなにたくさんの人がいたのに。

その人は少し考え込んだ。

さあ、どうしてだろう。ただ、君にあげたいと思ったんだよ。

Today is your lucky day.

今日は君にとって、幸運な日だったってことだ。

空にはごく細い弓なりの月が出ていた。セントラルパークの森を抜けながら、ミュージカルがまだ続いているような余韻に浸(ひた)っていた。


帰ってから、興奮さめやらぬ状態で、マリーパットにメールを送った。

こんなに素敵なできごとがあったのよ。信じられないでしょう、と。

すぐに返事が届いた。そのことには、ひと言も触れていない。

劇場にいたんだったら、どうして私に電話してこないのよ、と怒っている。

夢のような物語から、一気に現実に引き戻された。

Today is your lucky day.
今日は君にとって、幸運な日だったってことだ。

忠実な車掌

検札にやってきた車掌は、乗客から切符を受け取ると、じっと眺め、すぐに突き返した。

私はロングアイランドのグレートネックに行くために、ペンシルベニア駅から列車に乗っていた。

その乗客は、私の前の窓際の座席にすわっていた。Tシャツにジーパン姿の四十代くらいの白人男性だった。

That ticket is expired. It's no good.

そのチケットは期限が切れているだろ。もう使えない。

No good?

使えないだって？

No, it's expired.

だめだ、期限が切れている。
乗客はあ然とする。

I can't take it.
私は受け取れない。
車掌はきっぱりと言う。
乗客はどうしていいかわからない。
I can't take it. I can't take it.
私は受け取れない。私は受け取れないよ。
同じことを繰り返されても、乗客は納得できない。

Then can I get a refund?
じゃあ、払い戻してもらえるかな。
No.
だめだ。
乗客は途方に暮れる。

No. Try it next time.
だめだ。次のときにやってみな。
乗客は首を傾げる。いったい、どういうことだ？
Give it to the next conductor. Maybe he won't notice.
次の車掌に渡すんだ。気づかないかもしれないだろ。

なるほど。そういうことか。
Understand?
理解できたか。
Yes.
ああ。
乗客は声をひそめてそう言うと、穏やかに運賃を支払った。
とりあえず車掌は、その場をうまく収めたというわけか。

Try it next time.
次のときにやってみな。

珍しく効率のよい店

金曜日だということに気づき、昼前にあわてて家を出た。その日は午後二時に店が閉まり、翌日の土曜日は休みになる。ユダヤ教の安息日は、金曜日の日没から土曜日の日没までだからだ。

ここはマンハッタンにある、オーディオ、ビデオ、カメラの専門店、B&Hだ。店員の多くが、ハシディズムと呼ばれる超正統派ユダヤ教の信者である。

顎ひげやもみあげを伸ばし、お椀（わん）の蓋のようなヤムルカと呼ばれる縁なし帽を頭の上にのせている。白シャツに黒ズボン、そして販売員はユニフォームの緑色のベストという出で立ちだ。

店に入ると、入口に案内人が立っている。用件を聞かれ、「カメラ用品を買いたい」と伝えると、どこへ行けばよいか、手際よく指示される。

店員がきびきびと動き回り、店内を小走りまでして客の要望に応えようとする日本のサービスに慣れていると、ニューヨークでは高級店とされるひと握りの店でしか、買い物する気にならないかもしれない。販売員に商品知識がなかったり、おそろしく手際が悪かったり、とじつにいらいらさせられることが多いからだ。ところがここは、本当にアメリカの店なのか、と疑いたくなるほど、効率がよい。

今では各国の旅行者がこの店を訪れるが、これほど有名に、そして大規模でモダンになる前から、私はここを利用してきた。一眼レフのカメラやレンズもこの店で買った。

その日は、一眼レフのレンズフードとキャップがほしかった。二階のカメラ用品売場へ行き、ざっと店内を歩いてみた。どちらも見当たらなかったので、販売カウンターへ向かう。店の端から端まで、六十二ものカウンターが並んでいる。

レンズの種類を伝えると、手元のコンピューターでそれに合うフードとキャップを調べてくれる。レンズを購入したときにフードが付いていたのに、フードだけでは売られていないようだ。よくキャップをなくすので、レンズからぶら下げられるようにストラップも一緒に買った。これほど小さな商品ばかりを買ったことも、これほど小額しか使わなかったことも、初めてだ。

カウンターの男の人から、商品名などが印刷された紙を受け取る。商品は持たずに、紙だけ持って、一階にあるレジまで進む。店内の天井にはベルトコンベアが張り巡らされていて、その上にいくつものプラスチックの箱が連なり、途切れることなく動いている。商品はその中に入れられ、貨物列車のようにレジまで移動する仕組みになっている。

レジは左手が現金、右手がクレジットカードと分かれており、併せて二十の窓口がある。ここで支払いを済ませ、領収書と商品受け渡し票を手渡される。次のカウンターへ移動すると、同じように二十もの窓口があり、そこで受け渡し票と引き換えに商品を受け取る。

私の担当の青年は、ハシディックではないようだ。顎ひげももみあげもなければ、ヤムルカも被（かぶ）っていない。

いつものようにこの店の効率のよさに感動し、青年に言った。

This is by far the most efficient store in all of New York City.

ここは間違いなく、ニューヨークじゅうで一番、効率のよいお店ね。

Efficient?

と彼が聞き返した。

Yes, very efficient. I'm impressed.

そう。とっても効率がよくて、感動的だわ。

彼はヒスパニック系の移民らしく、その言葉の意味がわからないようだ。

どういう意味？

うまく組織化されて（well-organized）いて、生産性が高い（productive）ということよ、と説明した。

青年はしばらく考え込んでいたが、ついに理解したらしく、胸を張って何度も、イエス、イエス、とうなずいた。この店で働くなら、誰だって誇らしかろう。

支払いを済ませ、商品を待つ。が、いつまでたっても、青年はパソコンを食い入るように見つめている。表情が険しい。

What's wrong?

どうかしたの、

と私が尋ねる。

商品が、送られてきていない。

送られてきていない？　どうしてよ？

わからない。

あのコンベアで店内を旅して、速やかに私の元にやってくるはずではなかったのか。

あっちの顧客サービスに行って、聞いてみて、と彼が向こうの窓口を指差す。

言われるまま、そちらへ移動する。

今度は、ハシディック特有の出で立ちの中年男性だ。パソコンをにらんでいる。

It's missing.

行方不明だ。

行方不明？

どこに行ったか、わからない。もう一度、注文し直そう。

効率のよさをほめ称えたとたん、私はニューヨークの現実を突きつけられる。

二度目の注文で、ついにキャップとストラップを手にした。支払ったのは、たった九ドル。あまりに小さく、安かったので、買い物袋もいらないわと遠慮し、バッグにしまった。


外は土砂降りの雨が降っていた。しばらく待てば止むだろうと思い、出口の手前に並んだ椅子に腰かけた。皆、考えることは同じらしく、買い物を終えた客が椅子やベンチを占領していた。足元にはずらりと、この店の大きな買い物袋が置かれている。

私の隣には、白人の青年がすわって、携帯端末をいじっていた。ブラジルから訪れた旅行者だった。映画製作に携わっていて、つい最近も一本撮り終え、休暇中だという。

ニューヨークを訪れるブラジル人は、必ずこの店にやってくるよ。僕も安いから、撮影用の機材をいっぱい買い込んだよ。

そう言って、足元にある袋をいくつも見せた。

こんなにたくさんの大きな商品と一緒に店を旅する運命なら、私のちっぽけなキャップとストラップなど、ほかの列車に紛れ込んだか、乗り遅れたに違いない。あるいは、列車から振り落とされ、誰かに踏み潰されてしまったのか。

思えばこの店で、キャップとストラップしか買わない客など、滅多にいないのかもしれない。

許しましょう。私のほうこそ、謝ります。

ここニューヨークでは珍しく効率のよい店の、珍しく効率の悪い客でした。

This is by far the most efficient store in all of New York City.

ここは間違いなく、ニューヨークじゅうで一番、効率のよいお店ね。

第4章

親愛なる人へ

Times Sq-42 St

ハンナの涙

五十四歳のハンナは、年齢が自分のちょうど半分の青年、ティエルノとふたりで暮らしている。友人に連れられて、一度だけ、私は彼女のアパートへ行ったことがある。ハンナと会ったのは、それが初めてだった。そのとき、ティエルノは家にいなかったから、彼に会ったことはない。

ハンナは白人のユダヤ人で、肝っ玉母さんタイプの体格のいい包容力のありそうな人だった。私がティエルノについて知っているのは、彼がアフリカのギニア出身の移民で、黒人であること。あとは、ハンナが語ってくれたことだけだ。

若い黒人の男と住むなんて、と前につき合った男は私の身の安全を心配したわ。私がティエルノとふたりで歩いていたとき、同じアパートに住む白人のマイケルとばったり会ったの。あとでマイケルは私に、あの青年は君に使われているのかい、と聞いてきた。

庶民的で分別のあるいい人だと思っていたのに。

ハンナは納得できないというように、首を横に振った。

ティエルノをスピーチセラピーに連れていったときには、あなたは彼のフェアリー・ゴッドマザー（fairy godmother）ね、と言われて、気分が悪くなった。おとぎ話で主人公を困難から救う妖精のことよ。困ったときに突然現れる、親切なおばさん。こういう反応を耳にすると、それが誰の口から出たものであっても、不愉快ね、とハンナの口調はやや強くなった。

ティエルノのことを話してもいいけれど、と彼女は私に言い、二度目に会う前にこんなメールを送ってきた。

彼が恥ずかしい思いをしないか、ということだけが心配なの。だから、私のアパート以外の場所であなたと会い、私の名前も彼の名前も住んでいる場所も出さないと約束してくれるなら、喜んであなたに話します。

だから私はここで、彼女をハンナと呼び、彼をティエルノと呼ぶ。

今から十一年前、ハンナに親しい友人に頼まれた。

移民弁護士を探してもらえないか。知り合いにギニア出身の高校生がいて、ビザがないと国外に追放されてしまうんだ。

その高校生がティエルノだった。ハンナは移民弁護士を紹介した。初めて彼に会ったのは、弁護士事務所の待合室だった。そのあとでカフェに行って、コーヒーを飲んだ。

会ったばかりのハンナに、ティエルノが頼んだ。

自分の高校の卒業式に来てくれませんか。

この子には、家族のように彼を支えてくれる人が、身近にいないのか。ショックを受けたハンナは、ティエルノを釣りや映画に誘うようになった。

I thought I should reach out to him.

あの子に手を差し伸べてあげなきゃ、と思ったの。

当時、ティエルノは別の家族と住んでいたが、だんだん居心地が悪くなり、食事も一緒にとらなくなった。ハンナは自分のオフィスに軽くつまめるものを持っていっては、ティエルノに食べさせた。

ある日、ティエルノの知り合いがハンナに電話してきた。彼の生活環境は、あまりにひどすぎる。もう限界を超えています。

ハンナは四年前に離婚し、アパートにひとりで住んでいた。ベッドルームもバスルームも二つずつあった。

だったら、うちに来て住んでいいわよ。そう言ったのが、始まりだった。ハンナは法廷に行って彼の後見人になり、永住権を申請した。

ティエルノは無事に大学を卒業し、今はヴァーモント州の大学院に在籍している。

ハンナは奨学金だけでは賄(まかな)えない授業料を払い、ティエルノがアルバイトをしていなかったときには、小遣いも渡した。彼から家賃も食費も受け取っていない。

　多くの移民のように、彼は両親や親族の期待を背負って、アメリカに送られた。息子がアメリカにいれば、もっといい暮らしができる。そこで稼いだお金を自分たち家族に送れば、生計が助かる。永住権を取れば、家族をアメリカに呼ぶこともできる。

　ハンナは言う。ティエルノは家族や親戚に対して、義務感を感じているけれど、そのことを私に話そうとはしないの。彼と私はこれだけ親しいのに。彼には共同体のような家族がいる。

　血縁がなくても、家族のような共同体。一緒に育ち、言語も文化も習慣も、何もかも分かち合ってきた、強い絆で結ばれた大きな家族。そういう人たちを、彼は私より近しく感じている。

I want to get in there and want to be closer to him.

　私もそこに入り込めたら、そして、もっと近しくなれたら、と思うわ。

　私とティエルノはある程度、親しいし、お互いをよくわかっているつもりだけれど、分かち合えないものがある。私はユダヤ人だけれど、宗教とは関係なく育った。彼はイスラム教徒。熱心な信者というわけではないし、毎日、祈るわけでもない。

　でもラマダーンのときには断食するし、ほかの宗教行事も守っている。それって私から見ると、十分、信心深いと思うのだけれど、彼にしてみれば、そうではないそうよ、とハンナは笑った。

ハンナがティエルノと住み始めたのは、離婚した直後だ。さみしかった、ということもあったのだろうか。

いろいろな活動や組織に関わっていて忙しかったし、それはどうかしら、と首を傾げていたが、少し沈黙してから辛そうに、ハンナは意外なことを語り始めた。

三十年ほど前、ハンナは弁護士として、育児放棄や虐待された子どものケースを扱っていた。そのなかに、母親のボーイフレンドに性的虐待を受けた七歳くらいの男の子がいた。ある日、少年が虐待のことを母親に話すと、彼女はその子をひっぱたいた。母親はボーイフレンドと結婚したかったから、そんなことを聞きたくなかったし、信じたくもなかったのだ。

ある日、叔母が少年を連れて、教会に行った。彼は叔母の膝の上にすわりたがった。

「だめよ。ちゃんとベンチにすわりなさい」と叔母が言うと、少年が答えた。

「だって、堅い木の上にすわると、おしりが痛いんだもん」

こうして、その小さな男の子が、男に性的虐待を受けていたという事実が発覚したの。

ハンナは少年の弁護士として、母親とボーイフレンドを起訴した。

とてもかわいい子で、ハンナによくなついていた。当時、彼女には背の高い男の秘書がふたりいた。

その子が小さな体を揺らしながら、私のオフィスに入ってきて、秘書のふたりに言うのよ。「ハンナ・バーグマンは、ぼくの弁護士っていうだけじゃないんだ。ぼくのガールフレンドなんだ」って。

それは、それは、かわいかったわ。その子の境遇を考えると気の毒で、うちに連れて帰りたいと思った。でももちろん、しなかった。

その後、少年は叔母としばらく暮らしてから、母親のもとに戻った。

それから十六年たったある日、ハンナは裁判所の親しい職員と電話で話していた。彼があるケースについて、電話の向こうで秘書に話しているのが聞こえてきた。若い男がタクシーをハイジャックして、ドライバーを射殺したという事件だ。

そのとき職員が口にした、犯人のとても珍しいファーストネーム。その名前に聞き覚えがあった。ハンナは犯人の名字を、職員に尋ねた。同姓同名だった。

ハンナにぼくのガールフレンドなんだ。そう言いながら、オフィスに入ってきた小さな男の子の姿が浮かんだ。

あの子が犯人だったのよ。

私は驚いてハンナの顔を見た。

その子かどうか、きちんと確認したの?

ハンナはゆっくりうなずいた。

もちろん、間違いないか、自分でも調べたわ。

こんなことにはならなかったかもしれない、ってそのとき、思ったの。

もしあのとき、あなたが少年を引き取っていたら？

ええ、そう。もちろん、わからないわ。そんなふうに考えるのは、傲慢かもしれない。

答えは決してわからない。けれど、事件を知ったあとだった。ティエルノのことを聞いたのは。この子は私の助けを必要としている、何かしなければ、と思ったの。


ハンナはもともと、温かい人なのだろう。同じアパートの住人の息子が脳の病気で入院したことがある。ユダヤ系の病院だったので、金曜日の日没から土曜日の日没までは安息日で、調理ができない。そのため、作り置きのマヨネーズだらけのサラダやマカロニばかりが出されたことに同情し、半年以上、土曜日になると毎週のように、料理を用意して病院に持っていったという。

ハンナが語るティエルノは、誠実で、やさしい。「歯を治療してもらったあとで、歯医者をハグするような人」だという。ハンナはスイートという言葉を、何度も使った。愛おしくて仕方がない、というように。

A lot of people say things to me like, “Oh, he's so lucky to have you,” but the fact is I am just as lucky.

ああ、彼はあなたがいて本当にラッキーだ、みたいなことをいろんな人が言うの。でも、実際は私もまったく同じくらいラッキーなのよ。

だって、私には子どもがいないもの。母になるということが、どういうことなのか、私にはわからない。実際、妊娠の辛さも、午前二時に母乳を与えたり、おむつを替えたりする苦労も知らない。私が母親だなんていうのは、おこがましいわね。

で、十六歳になったティエルノが突然、私の目の前に現れた。それも、礼儀正しくて、物静かで、ユーモアがあって、とても愛らしい男の子が。毒づくこともないし、ドラッグもお酒もやらない。ね、いいことずくめでしょう？

お皿を洗わずにキッチンの流しに置いたままにしておくことはあるわね。部屋がいつも完璧に整理整頓されているわけでもない。でもそれくらい、我慢できるわ。ドアを閉めちゃえばいいんだもの。

He's given me a lot of rewarding experiences that helped us to grow together.

あの子のお陰で、やりがいのある経験がたくさんできて、一緒に成長させてもらえたわ。

そう言いながら、ハンナの目はみるみるうちに真っ赤になった。

あなたはティエルノを心から愛しているのね。

ええ、愛しているわ。ハンナは涙を手の甲で拭きながら、笑った。

ヴァーモント州の大学院に行くことになって、ティエルノを車で送っていったとき、別れ際に私、泣き出したのよ。もう二十四、五歳の立派な大人だったたっていうのに、と苦笑した。こんなに遠く離れ離れになってしまうんだって感じたの。

そう言うと、床に置いてあったバッグを膝にのせ、中からティッシュを取り出した。

ハンナの家族は、ふたりの関係を百パーセント理解しているわけではない。母親はハンナが利用されているのではないかと心配している。ティエルノも白人だけの家族のなかで、居心地の悪さを感じていないわけではない。

ティエルノは一年間だけ、ヴァーモント州のキャンパスで学び、今はニューヨークに戻り、オフキャンパスで勉学を続けている。修士課程の研究テーマは、持続可能な開発。環境を破壊せずに資源利用する開発のことだ。

彼はアメリカに住み続けたいと思っているのかしら。

ハンナはしばらく沈黙した。

迷っているようね。でもたぶん、適当な仕事が見つかったら、自分の国に帰るでしょう。ニューヨーク市に住むアフリカ人のために、クレジットユニオン（消費者信用組合）を作りたいと考えているらしいわ。

ハンナはティエルノの両親と話したことがない。永住権を取得し、彼がギニアに帰ったとき、ハンナは両親宛ての手紙を託した。が、返事はなかった。

でも、ティエルノと近しい親戚の女性が、ハンナのために祈り、感謝していると言ってくれた。

それで十分でしょう。それで十分なのよ。

そう言って自分を納得させるかのように、ハンナは何度もうなずいた。

I thought I should reach out to him.

あの子に手を差し伸べてあげなきゃ、と思ったの。

二ドルと友情

財布を開けながら、何かおかしい、と思う。

カフェでジェネファーと昼食をとった。私はバーガーで、ジェネファーはラップサンドを注文する。私のほうが、二ドル高かった。

消費税とチップは大して差がないから、その分は折半しよう、とジェネファーが言った。合計で二十六ドルだったので、もし食べたものが同額なら十三ドルずつ、という計算になる。

中学校までの数学は得意だったはずなのだが、こういう計算に私は疎い。

ジェネファーが計算して、と私が頼む。彼女の頭の回転は、やけに速い。

ミツヨのほうが二ドル多いから、ミツヨが十五ドルで私が十一ドルよ。

彼女が断言する。

私は財布をテーブルの上に置き、彼女を見つめて、遠慮がちに聞く。

ねぇ。食事の差が二ドルで、消費税とチップが同額なら、払う額の差も二ドルのままじゃない？

ジェネファーは呆れた顔で、首を五回ほど横に振る。

私がテーブルの上のナプキンを広げ、そこに数字を書き込んで説明する。

二人の額が同じだったら、十三ドルずつでしょう？　二ドルの差なんだから、私が十三に一ドル足して十四ドル、ジェネファーが一ドル引いて十二ドルじゃない？

ミツヨ、よく見て。二人が同じ額だったら、十三ドルずつでしょ。

そこまでは、私の主張と同じだ。

でも、ミツヨのほうが二ドル多いから、ミツヨはそれに二ドル足して、十五ドル。私は二ドル少ないから、二ドル引いて、十一ドルよ。

なるほど。いや、待てよ。それだと、ふたりの差額は四ドルじゃない？

当たり前でしょ。ジェネファーはきっぱり言い切る。

私は頭を抱える。が、ジェネファーは大手企業の副社長だ。こんな簡単な計算で間違えるわけがないではないか。それに、見よ、この自信に満ちた言いっぷりを。

アメリカ人に堂々と押し切られると、ジャパニーズな私は、すっかり弱腰になる。

納得し切ったわけではない。が、わかったわ、と引き下がる。

私がクレジットカードで支払い、ジェネファーから十一ドルを受け取る。

Now do you get it?

もう、理解できたわよね。

ジェネファーがほほ笑む。

No. と言えば、こんな簡単な計算がまだ理解できないの、と悲し気に首を十回は横に振るだろう。

まあ（Yes.）。

私は首を縦に振る。納得できてはいない。

よろしい（Good.）。

ジェネファーは満足気だ。

これから一週間分の洗濯をしなきゃ、と言って、彼女は荷物をまとめ始めた。

私はどこかのカフェで仕事をしようと思った。

ここに残って仕事すれば？　誰もいないから大丈夫よ。それに、誰かいたほうがお客さんも入りやすいだろうから、お店の人も気にしないわよ。

ジェネファーは私をハグし、店を去っていく。

ひとりテーブルに残され、私は数字が書き込まれたナプキンを見つめる。再びペンを取り、小学一年生でもすぐに解けそうな計算を、ナプキンに書いては消し、消しては書き、さらに三十分間、悩み続ける。

なぜ、差が四ドルにもなるのか。やはり、おかしいではないか。

そして、ついに結論に達する。私は正しかった。

ジェネファーにそう伝えたい。何も一ドルを返してほしいわけではない。が、ときにこういう些細なことで、うまく思いが伝わらず、意図してもいない方向へ話が進んでいく、という経験がないわけではない。まして、お金がからんでいることだ。

わかったわよ。一ドル払えば、いいんでしょ？

などとジェネファーがへそを曲げて、友情が一瞬で壊れないとも限らない。

いや、そんなことで壊れる友情なら、それまでのことだ。だが、こんな計算を間違えるなんて、副社長としての沽券に関わるのではないか。ほかの人と食事をしたときに、恥をかくかもしれない。

私は悶々と、さらに三十分間、悩み続ける。

その夜、私はジェネファーとまた会った。が、二ドルの話を切り出す勇気はなかった。

私はナプキンを捨てずに、その後、フランス、スイス、デンマークへと渡り、日本に戻るまで、スーツケースのポケットに、破けないようにほかの書類の間にはさんで、丁重に保管しておいた。

帰国早々、おもむろにナプキンを広げて、夫に見せる。

夫は腕組みをし、考え込む。そして、十五秒ほどで結論を出す。

食事の差が二ドルなんだから、払う金も二ドルの差だろ。

さすが、数学に強い日本人だ。

では、方程式にあてはめて、解いてみよう、と夫がペンを取る。

方程式が必要か。私は首を傾げる。

しかし、こんな計算ができないのに、アメリカでは副社長になれるなら、私は社長だ。

やっぱり、ジェネファーに言うべきね。私が正しかったと。たとえ、友情が壊れようとも。

夫は首を縦に振らない。

これが百五十ドルじゃなくて、よかったね、と笑う。

差が一ドルではなく、十ドルだったら、ヘソを曲げられようと、友情が壊れようと、迷うことなく伝えていた。

でも、私が正しかったことを、知らせたいわ。

夫がにやりと笑いながら、提案する。

何も言わずに、今度、一緒に食事するとき、彼女より二ドル安いものを頼めばいいんだよ。

Now do you get it?
もう、理解できたわよね。

幼虫からチョウチョへ

私が以前、アメリカの家族について取材していたとき、通っていた教会に取材協力を呼びかけた。二千人以上のメンバーのうち、何人に連絡が届いたかはわからないが、取材に応じてもよいと返事をくれた人は、ほんのわずかだ。そのひとりがピーターだった。すぐに電話すると、ピーターはとても感じがよく、僕でよければ、自分の家族について、いつでも話しますよ、と返事をしてくれた。

彼は脳研究機関の管理責任者だった。オフィスはアッパーイーストサイドのイースト川近くにあった。遅れないようにと走ってきた私は、肩で息をしていた。受付にある椅子に腰かけ、呼吸を整えながら、彼を待った。ガラス張りの会議室で、大きなテーブルを囲んでミーティングをしている男たちを、それとなく眺めていた。

会議が終わると、背の高い男の人がこちらに向かって、笑顔で歩み寄ってきた。ピーターです。待たせて申し訳ない、と握手の手を差し出した。

ピーターは自分のオフィスに私を招き入れると、ドアを閉めた。

つき合い始めて一年、僕たちはふたりとも二十一歳で結婚した。大学を卒業して一週間しかたっていなかった。妻も僕も教師をしていた。家を買って五か月、二十六歳のときに息子が生まれた。そしてその子が二歳半のときに離婚したんだ。

離婚の理由は、今でもよくわからない。おそらく、僕たちはまだ若すぎた。一緒に住んでいくうちに、お互いの興味や性格が違いすぎることに気づいたんだろう。

違うというのは、どのように？

私の問いかけに、ピーターは記憶をたどるようにしばらく目を伏せ、話し始めた。

僕はどちらかというと保守的で、大きな家と車、それに自分が野心を感じられる仕事があれば幸せだった。テニスやセーリングなどのスポーツも好きだった。僕は教師から大学経営の仕事に変わった。彼女はよく、精神的にもっと自由な生活がしたいわ、と言った。芸術家気質だった。大きな家とか物質的なものには、興味がなかった。

つき合っていた頃は、大学生だった。大学というのは人工的な世界だ。ショッピングモールみたいなものだね。モールのような大学は、楽しかった。結婚というのは、モールから家に帰るようなものかもしれない。結婚してから、いろいろなことを考えるようになった。

　ある日、妻は、もう家にはいたくないと言い、息子を連れて出ていった。彼女は教師の仕事をそのまま続け、一キロも離れていないところに家を借りて住み始めた。だから僕は、息子に週数回、そして週末はいつも会うことができた。僕の家の息子の部屋は、ずっとそのままにしておいた。

　話はこれから面白くなるんだよ。

　聞き手へのサービス精神から出たとはいえ、彼のその言葉に私はいささかショックを覚えた。

　ピーターは、他人事のように続けた。

　それから一年半ほどたった頃、家で食事をしていると、病院から電話があった。精神科だった。妻が電車の駅をさまよい歩いていたという。統合失調症と診断された。病室に駆けつけると、彼女は眠っていた。僕は息子を連れて、家に帰った。息子は四歳だった。

　その後、彼女は大きな精神科病院へ移された。かなり重度だと医者は言った。僕は裁判所へ行き、息子を引き取る手続きを済ませた。

　彼女はそれでも仕事を続けていたが、家の掃除に来てくれる人もいたし、そんなにストレスもなかったと思う。でも静かな人だったし、プライバシーを大事にしていたから、僕が気がつかなかっただけなのかもしれない。

僕は三十一歳で、別の女性と再婚した。息子は六歳。小学二年生になろうとしていたときだった。前妻も少しずつ、息子と一緒にいられるようになっていた。とは言っても、せいぜい数時間が限度だった。

僕は息子にとって、いい父親だったとは言えない。気が短かった。あの子は辛かっただろうと思う。両親が離婚し、母親は精神を病んでしまった。父親が再婚し、その相手と息子はうまくいかなかった。

再婚九年目に、男の子が生まれた。その一年半後に娘が生まれた。

前妻は何年間も精神科病院に入っていたが、やがてテネシー州メンフィスの両親のところへ帰り、一緒に住み始めた。

ある日、警察から電話が入った。彼女が自殺した、と聞かされた。僕と息子宛てにそれぞれ、簡単なメモが残されていた。

私の心の痛みは大きすぎる。息子をよろしくお願い。私は天使となって、あなたたちを見守っています。

これが僕に宛てられたものだった。

息子宛てのメモには、こう書かれていた。

お前を心から愛しているよ。でもお母さんは、痛みのないもっといい世界へ行かなければならないの。

メモは、彼女の妹、両親、そして別れたばかりの恋人にも、それぞれ残されていた。息子はそのとき、十六歳だった。

I think she still felt a connection with me.

彼女はまだ、僕との間に精神的な絆を感じていたようだ。離婚してからも、ね。そっと僕の家にやってきては、三階に寝ていた。朝になると、朝食を食べに降りてきた。大きな家だったから、彼女が泊まっていたことさえ気づかなかった。彼女はまだ、僕と結婚しているつもりでいたんだろうね。

ピーターは窓の外に目をやり、しばらく遠くを見つめていた。それから、二人目の妻について語り始めた。

We were compatible.

僕たちはとてもウマが合った。

彼女は修士号を二つ持ち、専門職に就いていた。でもだんだん、アルコールに依存するようになっていったんだ。夜七時、八時頃になると、まるで人格が変わったようになる。僕に怒りや敵意を露わにし、暴言を吐いた。聞きたくないから家を出ると、もっとひどくなる。戻ってきて話そうとしても、私はアルコール依存症なんかじゃないわ、と否定する。

僕も含めて男というものは、配偶者に何か事が起きると、それを解決してやりたいと思う。それが彼女の目には、僕が彼女をコントロールしようとしているように映ったのかもしれない。

彼女の両親はイギリス人で、ニューイングランドの典型的な堅苦しい家族という雰囲気だった。問題があっても、何事もないかのごとく振る舞う人たちなんだ。

彼女の父親は、母親に暴力を振るっていた。言葉の暴力もあった。彼女が十三、四歳のときに両親は離婚。父親とはそれ以来、会っていない。父親は頻繁に連絡してきたが、彼女は会いたくないと言い続けた。

父親は一年前に亡くなった。父親に虐待された、とは言っていなかったが、彼を恐がっていた。

彼女はいつも、みんなが私の人生をコントロールしようとしている、と言っていた。僕といても、そう感じていたらしい。アルコールを飲めば解放されるような気がしたのだろう。

何か問題を抱えているなら、僕が解決してやりたいと思った。でも彼女はそれを望んでいなかった。

She just wanted me to listen.

彼女はただ、僕に耳を傾けてほしかったんだ。

ふたりの間に授かった息子が、七歳のときに僕たちに聞いた。

ママとパパ、離婚するの？

妻が答えた。

いいえ。言い合いはしても、離婚なんかしないわ。だから、安心していいのよ。

それから間もなくして、彼女は突然、子どもふたりを連れて家を出ていった。その日の午後、僕が放心状態でコーヒーを飲んでいると、妻から電話があった。

別れたい、と。

結局、僕たちは離婚してしまったんだ。子どもたちは、裏切られたと感じているだろう。

あの子たちふたりは、彼女に引き取られた。

息子のほうは、僕の前で涙を見せない。でも、つい一週間前に、兄妹がこんな会話を交わしているのを耳にしたんだ。

僕、お父さんと一緒に住みたいんだ。

そうよね。部屋でお父さんと会いたいって、泣いてるもんね。

息子が泣いているなんて、それまで気づきもしなかった。

あとで、妻がよりを戻したいと言ってきたこともあったが、もう僕の手に負えないと思って、断わった。

僕はすべてを失ってしまった。物ならまた、手に入れることができる。家を失ったら、また違う家を買って、好きなように装飾もできる。でも、家族は違う。一度、失ったら、もう二度と手に入れることはできない。

ふたりの子どもたちとは月二度、会う。一緒にキャッチボールをしたり、自転車に乗って遊んだりする。教会へも一緒に行く。

でももう、前とはすべてが違う。僕の家族は、幼虫からチョウチョへと、すっかり姿を変えてしまったんだよ。

We were compatible.
僕たちはとてもウマが合った。

ニューイヤーズ・イブのキス

アメリカで初めてのニューイヤーズ・イブを、ちょっとどきどきしながら思い出す。ウィスコンシン州の小さな田舎町の高校に一年間、留学していた。当時は十八歳になると、お酒を飲めた。スポーツチームに属している間は、飲酒は禁じられていたが、皆、隠れて飲んでいた。同年代の誰かが家を開放すると、毎週末、クラスメートたちと押しかけ、飲み騒いだ。

ニューイヤーズ・イブのパーティは、まるでお祭り騒ぎだった。皆に三角帽とクラッカーが配られ、シャンパンが振る舞われた。酔いも回り、最高に盛り上がっている。

新年を迎えた瞬間、クラッカーが鳴り響き、ハッピー・ニューイヤー、と叫び声が上がったかと思うと、男の子たちが女の子たちに一斉にキスし始めた。それも、唇と唇を合わせているではないか。

あわてふためく私を、その場に居合わせた男の子たちが次々に抱き寄せ、唇を奪っていった。

This is what we do on New Year's Eve.
これってニューイヤーズ・イブの習慣よ。
そう言われれば、抵抗もできない。高鳴る心臓の音が、相手に聞こえてしまうのではないかと思うほど、ひとり緊張し、そして海の向こうの日本にいるボーイフレンドの顔を思い浮かべた。

その半年前、私はまだ東京にいた。高校の帰り道、送っていくよと、私の家に向かって一緒に歩いていたとき、彼が突然、立ち止まり、かがんで顔を近づけてきた。

これって、もしかして、ファーストキス？

思わず顔を払いのけ、もう送らなくていい、と言い、ひとり走り出した。

あんなこと、するなんて！　なんて不潔なの！

私はひとり、部屋にこもり、心臓の動悸を鎮めようとしていた。

それから数日間、私は彼と口をきかなかった。

彼はさびしそうにつぶやいた。

君に嫌われちゃったね。

それなのに、酒臭いハイスクールキッズたちに、私の唇はあっけなく奪われた。

How do you say "kiss" in Japanese?

キスって、日本語で何て言うの、と聞かれ、「接吻(せっぷん)」と答えたら、どぎまぎしてしまい、「口づけ」と言い直して、さらにうろたえた。

あの町では、皆兄弟という感じだからか、今もその習慣は変わっていないという。でも、ニューヨークでその話をすると、たいていびっくりされる。友情の印は頰のキスで、唇は特別な人だけのもの、というのが一般の常識なのだ。

サラはニューヨーク生まれのニューヨーク育ち。同じアメリカでも、なんて文化が違うのかしら。私なんか、今日の今日まで、つき合ってもいない男と唇にキスしたことなんか、一度もないわ、と驚く。ニューヨーク郊外で生まれ育った四十代のジェネファーは、高校生のときにキスさえしたことないわ、まして唇なんて、と意外に保守的だ。

六〇年代初頭に高校生だった六十代のマリーパットは、さらに目を丸くする。

My goodness, no! It was the 1960's in the USA: at that age, kissing boys in public would have been too scandalous!!

なんですって、ダメよ！　一九六〇年代のアメリカなのよ。そんな歳で公衆の面前で男の子とキスなんかしたら、町じゅうでものすごいスキャンダルになったわ!!

唇でも、頰のキスでも、ハグでもいい。人は人とつながっていたい。新年を迎える瞬間、大切な人とキスを交わし、一年をともに過ごしたいと願う。他人同士でハグし合い、新年の歓びを分かち合う。

タイムズスクエアのカウントダウンには、百万人が集まり、その様子はネットでも生中継される。この夜のニューヨークが最高なのは、新年を迎える歓びを、時差を越え、国境を越え、同じ瞬間に世界じゅうの人たちが分かち合い、ひとつになるからだ。

大都会なのに、人と人との心が触れ合う瞬間に満ちている。だから私は、ニューヨークに魅せられる。ニューイヤーズ・イブは、それが最も凝縮された時だろう。

新年の一分前になると、きらびやかな巨大な水晶球、ニューイヤーズ・イブ・ボールが上から降りてきて、皆で一斉にカウントダウンを始める。零時になった瞬間、「ハッピー・ニューイヤー！」と地響きのような大歓声がわき上がる。願いごとが書かれた無数の色とりどりの紙吹雪が、ライトで目もくらむほど明るい空を舞うなか、愛する人とキスを交わし、見知らぬ人と抱き合い、新年を祝う。

映画『ニューイヤーズ・イブ』で、ロバート・デ・ニーロ扮するスタンが言っている。

Nothing beats New York on New Year's Eve.

ニューイヤーズ・イブのニューヨークに勝るものはない。

友人のスーザンも、この街はニューイヤーズ・イブを楽しむ最高の場所だという。

ある年は女友だちと、ブロードウエイのミュージカルを観たの。カリブ海が舞台だったから、お祭りムードで盛り上がったところで、大晦日の特別ディナー、そしてタイムズスクエアと、完璧なシナリオだった。

We felt very glamorous and very New York.

とても魅惑に満ちあふれていて、ニューヨークならでは、って感じだったわ。

別の年にはナイトクラブでディナー、そして音楽とマジックのショーを楽しんだ。マジシャンが私を舞台に上がらせたの。で、私の指輪が消えたかと思ったら、また現れて。楽しい夕べだったわ。

でも時にはそんな瞬間が、まるで望遠鏡を逆さにのぞいているように、遠い別世界のできごとのように感じられることがある。

一九九九年の大晦日、スーザンは家族や親しい友人たちを家に招き、彼女が心を込めて作った料理を皆で楽しみながら、おしゃべりしていた。そこへ連絡が入った。その日、従姉が亡くなった、と。もうすぐそこまでやってきた二〇〇〇年を見届けることなく。

新年を迎える直前、スーザンたちはアパートの外に出て、凍てつく寒さのなか、空を見上げた。そこから二十五ブロックも南に下がったタイムズスクエアの上空に、ライトと紙吹雪がかすみのようにぼんやり見えた。ミレニアムを迎えるどんちゃん騒ぎも、遠く穏やかなざわめきにしか、彼女の耳には聞こえなかった。

同じく友人のエバリンは、子どもの頃、酒びたりの父親から虐待を受けた。ホリデーシーズンの家族との楽しい思い出を持たない彼女にとって、ニューイヤーズ・イブは親を許し、過去から自分を解放し、新たな年を歩み始める日だ。

ジェネファーは今年の新年、ネットで知り合った恋人と、セントラルパークの花火を目の前に見ながら熱いキスを交わした。来年も一緒に花火を見ることができると信じていたのに、お互いの気持ちがすれ違い、その二週間後に別れてしまった。もうしばらくひとりでいようと思っていたけれど、そろそろまた誰かとつき合ってみようかな、という気持ちに少しずつなってきた。

人はさまざまな思いで、行く年に別れを告げる。来る年に願うのは、互いに大切な人とつながっていたいということ。

私の唇を奪ったハイスクールキッズたちもそうだった。異国からやってきた私を最後まで支えてくれ、帰国のときにはサプライズ・パーティを開き、空港まで別れを言いに来てくれた。

さて、今年のニューイヤーズ・イブ。

あのときの日本のボーイフレンドと、夫婦の熱いキスを交わすことにしましょうか。

We felt very glamorous and very New York.
とても魅惑に満ちあふれていて、ニューヨークならでは、って感じだったわ。

第5章

だから人生は面白い

運をもたらす客

夫と店内に入ると、朗誦(ろうしょう)が流れていた。何年も前にモロッコを旅したときに、よく耳にした抑揚のある祈りのような声だ。イースト川の対岸、クイーンズのアラブ人街にあるスーツ専門店は、十時に開店したばかりだった。

夫がスーツを見ている間、私はレジの前にいる女の人と話していた。朗誦はコーランのように聞こえたので、その人もイスラム教徒かと思ったら、エジプト出身のキリスト教徒だという。

開店と閉店のときだけ、店長がこれを流すのよ。

奥に立っていた中近東系の中年男性が店長で、アルジェリア出身だという。

私は店長に声をかけた。

これはコーランですか。

そうだ。

一日に五回、お祈りを捧げるのですか。

そうだ。

敷物の上で？

彼はうなずく。

コーランはイスラム教の聖典で、信者は最大の聖地メッカに向かって、祈るんだ。

メッカはどちらの方角ですか。

彼は、店の正面の左寄りを指差した。

メッカの方角が、どうしてわかるのですか。

店長はズボンのポケットからアイフォーンを取り出すと、電源ボタンを押し、私に画面を見せた。方位磁石だった。

これがメッカの方角を教えてくれるんだよ。

アイフォーンは、こういうことにも役立っているのか。

私は以前、モロッコを旅した話をした。

絨毯(じゅうたん)を売る店に入ったとき、私たちがその日、最後の客だったので、運をもたらすと言われました。

店長は首を横に振った。私は、君みたいに運なんか信じてはいない。

私が運を信じている、と言ったわけではありませんよ。

とにかく、私は運なんてものを、信じちゃいないんだ。信じているのは、神だけだ。

私は、運を信じていない、とは言い切れませんけれど。

運など信じている君と、私は違うんだよ、と言いたげに、彼は首を横に何度も振りながら、力説する。

神は君に必要なものを与える。君に何を与えるべきかわかっている。持っていないものは、必要ないということだ。

スーツを見終えた夫が、私たちのところへやってきた。気に入ったのはあった？　と聞くと、イマイチダナ、と店長にわからないように日本語で答える。

どれが気に入ったんだ、と店長が夫に尋ねる。

ちょっと考えます、と夫は答えた。

ここは大量に仕入れるから、メイシーズより安いんだよ、と店長が言っていたことを夫に伝え、ふたりでスーツを見ていると、彼がやってきた。商売より神について語るほうが熱心なようで、私たちの会話をさえぎり、大きな声でたたみかけるように続けた。

人生は金があるかどうかじゃない。金があっても、病気の人もいる。貧しくても、健康な人もいる。金があっても、子どもがいない人もいる。まともな子どもじゃないこともある。貧しくても、素晴らしい子どもがいる人もいる。相殺されるんだ。

君はどっちがいいんだ？　金があって健康じゃないのと、貧しくて健康なのと。

貧しくても健康なほうがいいわ。

そうだろう。金があるから、君より運がいいとは限らない。

この店長は、私が金持ちでないことを、お見通しらしい。

でも、お金があって健康なら、よりいいわね。

そうだ。そのふたつが手に入れば、もっといい。

You can't have everything.

でも、すべてを手に入れられるわけじゃない。

この世とはそういうものだ。貧しい者がいて、金持ちがいる。そうでなきゃ、世界じゃない。世界はいろいろなものが混ざり合ったものなのだ。

イスラム教徒はお互いに助け合う、と聞いているわ。

イスラム教徒だけじゃない。助け合って生きる、それが人間らしく生きるということだ。イスラム教徒、ユダヤ教徒、キリスト教徒、無神論者。いろいろな人が手を差し伸べている。寄付している。私たちはともに生きているんだ。

何になりたいかは、自分で選ぶことだ。なりたい者になればいい。そして神と向き合うとき、自分の選択に責任を持つ。

あちらのレジの女性は、キリスト教徒なんですね。

それが何だと言うんだ。宗教は関係ない。ビジネスは別だ。混同してはいけない。

この店の顧客は、ユダヤ人が最も多いんだ。イスラム教徒やアラブ人だから、余計に割り引くわけでもない。ここはアメリカだ。この店はみんなのものだ。私はこの店が大好きなんだ。この国も好きだ。でも、政治はだめだ。湾岸やイラクで起きたことは、誤りだったと皆が思っているだろ。戦争を正当化できる理由はない。テロリズムも理由ではない。戦争をすれば、金がそこに集まるからだ。だが、アメリカの国自体は、いい。さまざまな人たちがいる。この国が偉大で強いのは、移民がいるからだ。

君は子どもはいるのか。

私は首を横に振った。

なぜだ。

It didn't happen.

できなかったから。

できないのか。それともほしくないのか。

威圧的な言い方に聞こえた。

ほしいわ。

そうか。ほうら、それが神なんだ。

でも、私たち夫婦は幸せよ。

もちろんだ。神は君を幸せにするために、何かを与えるんだ。君にふさわしい夫と一緒に、子どもを持つこととは違う方法で幸せを得る機会を、神は君に与えたのだ。

子どもがほしくないのか、私になぜ聞いたの。

単なる質問だ。

子どもをほしがらないのは、いけないというわけですか。

いいとか悪いとか、そういうことではない。十分なことをしてやれないから、子どもはほしくないという人もいるだろう。

それはいいことかしら。

いいとか悪いとか、そういうことではない。君にどう説明したらいいんだ。どちらがいいかといえば、子どもを持つことだ。誰も子どもを持たなければ、人類は絶えてしまう。子どもを持つことはいいことだが、持たない十分な理由があれば、それはそれでいい。神が君に与えるものを、どうやって使うのか。大事なことは、どれだけ与えられるかではなく、与えられたものをどう使うか、だ。

誰かが君をいつも見ているんだ。人生で何かを奪われたとき、その人がどう反応するか、じっと見ている。それでも神を信じ続けるか、腹を立てるか、あるいはそれを受け入れるか。

Just keep going and enjoy life. That's it. You don't have to think about a lot of things to make it complicated for yourself. Take whatever you find and do whatever you think is good for you.

君も歩き続けるんだ。そして人生を楽しめ。それだけだ。あれこれ複雑に考えることはない。見つけたものを手に入れ、自分にとってよいと思ったことはしてみるんだ。

あなたが手に入れたもので、最も大切なものは何なのかしら。

私が持っているもので、最も大切なもの？　家族だ。子どもたちと妻だ。両親だ。それ以上に大切なものがあるか。家賃を払い、必要なものを買えれば、それ以上の金はいらない。


開店したばかりのスーツ専門店にふらりと立ち寄って、朝から人生論を拝聴するとは想像もしていなかった。店にはほかに客がいなかったが、熱が入ってこのまま閉店まで彼の講話に耳を傾けることにもなりかねない。私たちはそろそろ、店を出ることにした。

で、スーツは気に入ったのか。

ちょっと考えます、と夫が答える。

そうか。大して関心もなさそうに、店長が言う。

講話には身が入っているが、商売は意外にあっさりしている。

Thank you. It was very nice talking with you.

ありがとう。お話しできて、楽しかったです。

Thank you. Have a good day.

ありがとう。いい一日を。

店長が答えた。

別れるとき、何て挨拶するんでしたっけ。

バーイ（Bye.）。

そう言って、彼が笑った。夫と私も大笑いした。

Allah maakum.（アラー・マアークム）だ。God be with you.（神があなたとともに、おられますように）ということだよ。

Thank you. Same to you.

ありがとう。あなたも。

店を出ようとすると、それは偶然、メッカの方向だったのだが、運など信じないと言っていた店長が、ぼそりと背後から声をかけた。
You're my first customers today. You might bring me luck.
君たちは、私の今日、最初の客だ。運をもたらしてくれるかもしれない。

Just keep going and enjoy life.
君も歩き続けるんだ。そして人生を楽しめ。

コウタ君のふたつの国

コウタ君は知的発達障害に加え、体全体に重度の障害を抱えて生まれてきた。体重はわずか千五百グラム、頭がい骨が形成されておらず、頭皮しかなかった。小眼球症で、手足の指も欠損していた。

この状態ではとても助かる見込みはない、と医者は判断し、母乳を止める薬を、そうとは告げずに母親に飲ませた。そのため、同じ頃に出産した近所の知人から、母乳を分けてもらわなければならなかった。

母親が初めてコウタ君に会えたのは、生まれて一週間後のこと。

ガラス越しの面会だった。

コウタ君がまだ小さかった頃、日本で母親と一緒に電車に乗っていた。そばに小さな男の子と母親らしき女の人がすわっていた。その子は騒いで、なかなかおとなしくならない。たまりかねて、母親らしき女の人が言った。

静かにしないと、あの子みたいになっちゃうわよ。

その人は、コウタ君を指差していた。

コウタ君の母親は、いたたまれなかった。言い返してやりたい、と思った。が、何も言えずに、黙って堪えていた。

ようやく歩くことができるようになった五歳のとき、すでに単身赴任していた父親を追って、母親とともにニューヨークへ渡った。ハドソン川を隔てたニュージャージー州に、一家で住むことになった。両親は不安だった。

親の転勤でやってくる子どもたちのために、ニューヨーク周辺には全日制の日本人学校、土曜日だけの補習授業校、それに学習塾や進学塾まである。でも、コウタ君のような重度の障害のある子どもたちが、日本語で学べる場所はどこにもなかった。障害の軽い子は、日本人向けの幼稚園や学校で受け入れられることもあったが、ほとんどの子どもたちはアメリカの特別支援学校や特別支援学級で学んでいた。

やむにやまれず、日本人の幼児教育の経験者や社会福祉を学ぶ学生たちが、毎週土曜日の朝、障害を抱える子どもたちを集めて、「よいこの会」という日本語のセラピー・グループを始めた。ひとつひとつの遊びに、ひとりひとりの小さなゴールがある。達成を喜び、分かち合う大人たちがいる。自分の言葉で学べる唯一の場所が、そこだった。

今から二十一年前、私はこの会の活動を新聞記者として取材し、当時七歳だったコウタ君と出会った。よく覚えているのは、ランチのときのコウタ君の様子だ。小さな両手と胸でお茶のポットを抱え、テーブルを回り、友だちひとりひとりのために、こぼさないように丁寧に、黙々とお茶を注いでいた。

ふだん彼は、カトリック系の特別支援学校に通っていた。渡米してまもなく、地元の教育委員会に相談に行ったときに、この学校を紹介された。私立校だが、いずれ日本に帰っていく子どもであっても、授業料などはすべて税金で賄われる。

まだ幼いコウタ君は、英語がまったく話せなかった。それでもシスターたちが、温かく迎えてくれた。友だちも親切だった。コウタ君は学校が大好きになった。毎朝、家の窓から外を眺め、スクールバスが見えると家を飛び出していった。

特別支援学校の運動会に、コウタ君の母親が私を誘ってくれたことがある。子どもたちの表情が底抜けに明るかったことを、真っ青な空と同じくらい、鮮明に覚えている。

その日、コウタ君は母親と一緒に学校をひと通り案内したあとで、お気に入りのドラムセットを見せてくれた。ドラムはコウタ君の背丈よりも高かった。

おかださんに、聞かせてあげたい。

コウタ君はそう言うと、ドラムの向こう側に回り、スティックを握った。そして、立ったまま、思いきり背伸びして、体ごとドラムにぶつけるようにたたき始めた。小さな体で、あんなに大きな音を出せることに驚いた。コウタ君が取りつかれたような真剣な表情で、生き生きと演奏していた姿が忘れられない。

　地元の人たちは、コウタ君とごく普通に接してくれた。スーパーマーケットのレジで並んでいても、名前は？　今、いくつなの、どこの国から来たの、などと気さくに声をかけてくれる。障害があるからと躊躇（ちゅうちょ）するわけでも、遠慮するわけでもなく、かといって好奇の目で見ることもなく、ごく自然に振る舞ってくれることが、コウタ君の母親はうれしかった。

　少し話したあとで、見知らぬ女の人が、別れ際にコウタ君を抱きしめ、握手してくれたこともあった。

　あるとき、遊園地で、小さな男の子がコウタ君を指差し、一緒にいたその子の母親らしき女性に向かって、大声で何か叫んだ。何と言ったのか、コウタ君もコウタ君の母親も、聞き取れなかった。すると女性がその子を連れて、コウタ君の前に立った。

　そして、男の子に言った。

　Apologize to him for what you just said.

　今、あなたが言ったことを、この子に謝りなさい。

　その子はうつむいて、I'm sorry. と詫（わ）びた。

　ただひとつ、ニューヨークでコウタ君が、行くのを嫌がる場所があった。日本人客が多い日系のスーパーマーケットだ。日本に住んでいたときは、じろじろ見られ、陰でささやかれ、気にしていないようでも、深く傷ついていたのだろう。自分から人に声をかけることは、決してなかった。

日本に帰ったら、コウタが心を閉ざしてしまうのではないか。

母親の声は曇っていた。


コウタ君一家はあのまま、まだニューヨークにいるのか、それとも日本に戻ったのだろうかと、ずっと気になっていた。連絡してみようと思いながらも私事に追われ、いつのまにか二十一年の歳月が流れた。

コウタ君の名字は覚えていた。ある日、ふと思い立ち、ネットで検索してみた。すると一件だけヒットしたのが、「ゆめ風基金」のブログだった。そこに一枚の写真が載っていた。コウタ君の面影が残る男の人が、ふたりの白人女性と一緒に写っている。もう今は二十八、九歳だろう。すっかり、貫禄がつき、前より肉付きがよくなっていた。彼の左脇の人は白襟のある黒い服を着て、胸には大きな十字架が光っている。シスターのようだ。柔和な笑みをたたえている。赤い服を着た右側の女の人は、コウタ君の両肩をしっかり抱え、笑っている。

コウタ君は、胸の前で一枚の写真を抱えている。写真の中の人は、シスターらしき女性と同じ服を着て、おなかの辺りで両手を組んで、横たわっているように見える。遺体だろうか。

一九九五年、阪神・淡路大震災が起きたとき、障害者への対応はあと回しになった。それでも障害者たちは、地域の人たちに「日頃の恩返しをしたい」と思った。そして、いつもの助け合いのネットワークを使って、いち早く炊き出しを行い、寒さに震える人たちに豚汁を配ったのだ。

これに勇気づけられた有志の人たちの手によって、将来の緊急時に備えておこうと発足したのが、この基金だった。

ある日、ひとりの女性がこの基金を訪ねてきたという。二十三年前、重度の障害のある息子を連れて、夫の駐在のために家族で渡米した。アメリカで九年間、暮らし、その間、息子は五歳から十四歳になるまで、カトリック系の特別支援学校に通っていた。そして十四年前に、一家そろって帰国した。

東日本大震災が起きたとき、息子が学んだアメリカの学校や当時の友人たちから、安否を尋ねるメールが一家に届いた。帰国してから十四年もたつのに、自分たちのことを覚えていてくれた。うれしさや懐かしさから一家で久しぶりに学校を訪ねると、事務室の窓の脇に大きな募金用の透明のボトルが置かれていた。

日本の募金活動に小銭を

以前、本校に在籍していたコウタ・キタデヤは、今、家族と一緒に日本に住んでいます。キタデヤ・ファミリーは地震と津波が襲った地域から離れて住んでいるので、無事でした。しかし、とても多くの人たちが被災し、今でも膨大な援助を必要としています。五月末にコウタが両親と一緒にアメリカに来て、本校を訪れます。五月いっぱい、本校で義援金を集め、コウタを通して、緊急の援助を必要としている人たちのために寄付することにいたしました。

学校の事務室に大きな広口ビンが置いてあります。一セント玉（五セント玉、十セント玉でも結構です）をお子さんに渡してください。たとえ一セント玉でも、たくさん集まれば、まとまった金額になります。子どもたちがお金を広口ビンに簡単に入れられるように、小銭を封筒やビニール袋、あるいは容器に入れて渡してください。もちろん、期間中に何度でも寄付してくださって結構です。

ご協力、よろしくお願いします。

フェリシアン特別支援学校　児童生徒・スタッフ一同

二十一年ぶりにコウタ君とネットで再会できたうれしさから、私は夢中で検索を続けた。父親の勤務先を覚えていたので、父親の名前にたどり着き、そこから関西の自宅の電話番号を知ることができた。

その番号にかけると、はい、と女の人が電話に出た。聞き覚えのある懐かしい、コウタ君の母親の声だった。一瞬、間があったが、すぐに私を思い出してくれた。

私がネットで見つけたあの写真は、昨年五月に母親と一緒に学校を訪れたときのものだという。隣に写っているシスターは、コウタ君が通っていた頃、校長だった。

あの写真の中でコウタ君が胸に抱えていた写真は、当時の副校長で、彼女もコウタ君のことを気にかけてくれた。昨年、コウタ君が学校を訪問する数か月前に、亡くなったばかりだった。

学校を訪問したとき、校舎の正面の壁には、一枚の油絵が当時のまま、飾られていた。赤い帽子に赤い蝶ネクタイ姿のコウタ君が、当時の校長の両腕にしっかりと抱かれている。

ダンスパーティに招かれ、コウタ君も母親も二時間ぶっ続けで踊りまくったという。ボトルに集まった三百ドルを手に、コウタ君たちは帰国した。被災障害者支援バザーで母親が「ゆめ風基金」のことを知り、義援金を持って訪れたのだ。

コウタももう、すっかりオジサンになりました。背は相変わらず低くて、百三十センチしかないんですけどね、と母親は明るく笑う。

二十年前、八歳のときに、地元のスペシャルオリンピックスの開会式で、皆の前で堂々と選手宣誓した言葉を、今も覚えているという。家で何度も練習した。

Let me win. But if I cannot win, let me be brave in the attempt.

私は勝利を目指します。たとえ勝てなくとも、がんばる勇気を与えてください。

コウタ君は徒競走で一位になった。地元の非番の警察官が制服姿で会場に現れ、表彰台に上がったコウタ君の首にメダルをかけてくれた。そして、小さな手をつなぎ、その手を高く掲げると、彼を抱き上げ、肩車してくれた。

コウタ君は今、関西に両親と住み、介護老人保健施設で働いているという。介護を必要とする高齢者に、リハビリを中心とした医療や介護のサービスを提供する施設だ。

エプロンを洗ったり、お茶を入れたり、裏方の仕事ですけどね。でも結構なお金をいただいているんですよ。これから、コウタに養ってもらわなくちゃ、と母親はまた笑った。

日本に戻ってきて、心配していたほど、戸惑いはないという。

以前とは日本人の反応も、ずいぶん変わったと思います。それにもうあの子も、何を言われてもあまり気にしなくなったんでしょう。あの子がお気楽な性格に育ったのは、アメリカでお世話になった人たちのお陰だと思います。でも、相変わらず生真面目(きまじめ)な性格だから、五年間、無遅刻無欠勤で、仕事に通っているんですよ。

弾むような母親の声は、前とちっとも変わっていない。

ただ、帰国したばかりの頃は、日本の習慣に戸惑うこともあった。アメリカは車社会ということもあるが、とくに郊外ではあまり傘を差さない。ニューヨークの街中でも、少しくらいの雨ではそのまま歩いている。

東京の特別支援学校に電車で通い始めたとき、慣れるまで心配で、本人に内緒で、母親が隠れてそっとあとをつけて学校まで行っていた。

ある雨の日、いつものように、コウタにわからないように、同じ電車に乗って、離れて見守っていたんです。そうしたら、あの子、電車に乗って傘をたたんだあと、傘についた雨の滴（しずく）を、丁寧にハンカチで拭いているんですよ。

私は、幼いコウタ君に二度しか会ったことがなかった。それも、そんなに長い時間ではない。

一時間ほど母親と雑談したあとで、覚えているはずがないとは思いますけれど、コウタ君にどうぞよろしくお伝えくださいね、と言って、電話を切った。

その夜、母親からメールが届いた。

先ほど、コウタに「おかだみつよさん、覚えてる?」と聞きました。

するとは、ええっと、誰やったかな、と十秒ほど考えていました。

ああ、思い出した。よいこの会やフェリシアン・スクールの運動会に来てくれはったやさしい人やね。

覚えていましたよ。楽しそうに思い出を語っていました。よほど印象が強かったんでしょうね。

久しぶりにお会いしたいですね。すっかり小さなオジサンになったコウタを、見てやってください。


友だちのために、こぼさないように、黙々とお茶を注いでいた。電車の中で、乗客や床が濡れないようにと、傘の滴を無心に拭(ぬぐ)っている。五年間、無遅刻無欠勤で、仕事に通い続けている。

そして、二十一年も前、七歳の頃に二度しか会ったことのない私を、今も覚えている。

コウタ君はコウタさんになり、彼の無垢(むく)でひたむきな人生は、私のなかで一本につながった。

Let me win. But if I cannot win, let me be brave in the attempt.
私は勝利を目指します。たとえ勝てなくとも、がんばる勇気を与えてください。

ジャポン、また、立ち上がる

その夏の日は快晴で、セントラルパークへと自然に足が向かった。五番街と六十丁目の入口から公園へ入り、右手のベンチにすわり、道行く人を眺めていた。

隣にはヒスパニック系の高齢の男の人がいて、目の前に停めた車椅子に妻らしき高齢の女の人がすわっていた。女性の右足は腫れて赤くなっている。

公園の屋台で買ってきたのだろう。ふたりともアイスキャンディーをなめている。

女の人はベンチのほうを向いていたので、私と目が合い、ほほ笑んだ。

この辺りに住んでいるのですか、と声をかけた。

いや、ブロンクスだ。ここまで、ブスで来る。

男の人が横から顔を出し、代わりに答えた。「バス」をスペイン語風の発音で「ブス」と言ったことに気づくのに、時間はかからなかった。

もともと、どこから来られたのですか。

ドミニカ共和国だ。三十五年前、この街、やってきた。君、どこの出身かね。

彼の英語はなまりが強く、前置詞がほとんどなかった。ふだんはヒスパニック系のコミュニティで、スペイン語で生活しているのだろう。

日本です、と答えると、彼は少し間を置いてから、ヒロヒト、と言った。

はい、エンペラー（天皇）ですね。

Yes, Emperor. Now, Emperor?

イエス、エンペラー。今、エンペラー？

ヒロヒトは亡くなりました。今は彼の息子がエンペラーです。

I read. I know. Now my eyes no good.

私は読む。知っている。今、目、よくない。

私は何歳と、思うか。

六十歳？

八十歳だ。で、妻は七十四歳だ。

今度は自分の胸を指差し、バイパス手術を四度もした、と言った。

さらに何か言おうとしたが、私には理解できなかった。

ごめんよ。英語、うまくないんだ。

その人は何度もそう言って、マツミ、マツナ、などといくつか言葉を発したが、私にはどれもわからなかった。彼は必死に、何か思い出そうとしている。

しばらくして、ついに私が理解できる言葉が、彼の口からこぼれた。

Tsunami.

ツナミ?

彼がうなずいた。

Japon, before tsunami give money many many country. Many many country. Japon government very good. After tsunami, I don't know. ジャポン（日本）、ツナミの前、たくさん、たくさんの国、お金あげる。たくさん、たくさんの国。ジャポン政府、とてもいい。ツナミのあと、わからない。

スペイン語のアクセントの強い英語で、彼は一生懸命に話した。

今は日本が大変なんですよ、と私が答えた。

ああ、わかっている、と彼が言った。

Japon help many many country. Japon government very good. ジャポン、たくさん、たくさんの国、助ける。ジャポン政府、とてもいい。

You go to factory here. Work 7, 8 hours. Japon work, work, work. Tsunami, I don't know. It's God. この街、工場に行く。七、八時間、働く。ジャポン、働いて、働いて、働く。ツナミ、

私にはわからない。それは、神だから。

ツナミ。

そう言って、彼は右手を胸に当てた。

Japon, Japon, Japon...Japon up again, Japon work hard.

ジャポン、ジャポン、ジャポン……ジャポン、また、上がる。ジャポン、一生懸命、働く。

老夫婦が立ち去ってからも、私はしばらくベンチにすわっていた。その四か月前、東日本大震災から一年が過ぎた春のことを思い出していた。両国の友好関係を祈念し、日本からアメリカに桜の木が贈られてから、ちょうど百年目だった。
タイムズスクエアのあちこちの大型電光掲示板が一斉に、桜の花で埋め尽くされた。
そして、大きな掲示板には英語のメッセージが流れた。
Thank You for Your Support　Japan is Blossoming Again
支援をありがとう　日本は再び、花咲きます
震災の一周忌の前夜には、マンハッタンの教会で開かれた記念式典「Together for 3.11」に、千百人が駆けつけ、遠い日本の東北の人たちに思いをはせた。すわり切れ

ず、最後まで立ったまま、参加した人たちも多かった。

福島県相馬市の保育園児が元気に歌い、支援してくれた人たちへお礼の言葉を一生懸命に語る姿がビデオで流れると、会場の涙を誘い、大きな声援が上がった。

翌日はタイムズスクエアで、ニューヨークで働く日本人によって結成された「ニューヨーク混声合唱団」が、「ふるさと」や「上を向いて歩こう」などの日本の歌を披露した。彼らは震災の日から毎月、義援金活動を続けてきた。この日も道行く人たちが足を止め、募金箱に紙幣を入れていた。一時間余りで七百ドル近くが集まった。

ダウンタウンでは、ずっと忘れずに記憶に留めておきたいという思いを込めて、「憶念」と題した記念集会が開かれ、さまざまな宗教の聖職者が集い、追悼の意を表した。

その朝、義援金集めのマラソンに参加する人たちをセントラルパークで見送ったあと、夫と私は静まり返った広い公園を散歩していた。ニューヨークは三月でも、寒さが厳しい。春には一斉に花が咲き誇るこの公園も、まだ冬木立のままだった。

あ、と突然、夫が声を上げた。

夫の視線を追うとその先に、冬枯れの木々のなかで一本、ほっそりとした幹にきゃしゃな枝を広げた桜が、満開の花を咲かせていた。花の重みのせいか、一方に緩(ゆる)やかに傾いている姿は、お辞儀しているように見える。

と、その向こうに、さらにか細い松が一本、桜と向き合うように立っている。少しばかりこちらに傾いているさまは、桜にお辞儀し返しているようだった。
あの一本松のようだね、と夫が言った。
私も同じことを思った。岩手県陸前高田市の「奇跡の一本松」だ。
もの言わぬ木を前に、それまで堪えていた涙が一気にあふれ出た。

Thank you for your support. Japan is blossoming again.
支援をありがとう。日本は再び、花咲きます。

親指を立てれば

東京で、六十代くらいの男の人が中央線の電車に乗り込み、ドアの前に立った。ドアが閉まるやいなや、私の隣にすわっていた青年が、読んでいた文庫本を閉じ、イヤフォンを耳から外しながら立ち上がった。そして、ドアの前の男の人に近寄り、すわられますか、と声をかけた。

声をかけられた男の人は、もうすぐ降りるからいいです、と愛想もなく答えた。席を替わってあげたくても、断られたら立場がない、と感じる人は少なくないだろう。相手の言い方は素気（そつけ）なかったけれど、その青年は気にする様子もなく、黙って私の隣の席に戻ると、イヤフォンを付け、携帯端末を操作し、再び文庫本を読み始めた。

自分の作業をわざわざ中断し、気負わずにごく自然に周りの人に気を配る青年。あなたは親切ですね、と声をかけたくなった。でも、相手はイヤフォンをしているので、大きな声を出さなければ聞こえないだろう。それに、また読書を中断させるのもためらわれた。

そういう衝動にかられたのは、私にも似たような経験があったからかもしれない。

同時多発テロ事件の二年四か月後、マンハッタンのグランドセントラル駅の地下へ降りていった。テロ脅威レベルは上から二番目の「オレンジ」（重大な危険）で、緊張が続いていた。その日、三番目の「黄」（高い危険）に引き下げられたばかりだった。

このターミナル駅の地下には、ピザやサンドイッチなどを売るスタンドや店が集まっている。真ん中にテーブルや椅子が置かれ、そこで飲食ができる。日本でもよく見かけるようになった、いわゆるフードコートである。

コーヒーを買い、テーブルについた。ひと仕事しようと、パソコンや本などを広げた。テーブルの向かい側の椅子の背に、女性用の黒い革のショルダーバッグがかけられているのに気づいた。その先のテーブルに女の人がすわっていたが、脇にバッグが置かれているから、彼女のものではないようだ。

バッグを手にその人に歩み寄り、尋ねる。

This is not yours, right?

これ、あなたのバッグではないですよね？

五十代くらいのその白人女性は、私のではないわ、と答えた。

ここに置かれていたのだけれど、どうしたらいいのかしら、と聞いてみたのだが、肩をすくめるだけで何も言わずに、サンドイッチを食べ続けている。

イヤフォンか何かのコードが、バッグからはみ出していた。たぶんこれに財布なども入っているのだろう。持ち主はきっと困っている。でも、ショッピングバッグやサブのバッグならまだしも、メインのバッグを忘れるものだろうか。

どこかに預けてくるわ。私は自分の荷物をまとめ、そのバッグを持って席を離れた。バッグは意識的に自分の体から離して持った。自分の物ではない、という意思表示だ。もしかしたら、うっかり屋の持ち主があわててこのフードコートに戻り、バッグを捜しているかもしれない。

そんなふうに持ちながら、ふと、この中に爆破物が入っている可能性もなくはない、と思い始めた。はみ出しているのはイヤフォンではなく、爆破物のコードかもしれない。小さめなのにやけに重く、中身がぎっしり詰まっている。急に不安になってきた。

同時多発テロ事件以来、空港のゲートでも、スーツケースを置いたままトイレなどに行くことはできなくなった。その頃も、中に爆破物が仕掛けられる恐れがあるので、「自分の荷物のそばを離れないでください」としきりに放送が流れていた。

ここは大きなターミナル駅だ。テロの標的になる可能性は十分にある。それに、入口でボディチェックを受けるわけではないので、誰でも容易に中に入ることができる。

この階にインフォメーション・デスクのようなものがあるか、スタンドや店を回ってみたが、接客で忙しかったり、店員がいてもアルバイトなのか要領を得なかったり、で結局、わからない。

元いたテーブルに戻ると、さっきの女の人はまだそこにいた。

このバッグ、どこへ持っていけばいいのか、わからないわ。

私だって、わからないわよ。あちこちに警察官がたくさんいるでしょ。

女の人はこれ以上、関わりたくないというように、イヤフォンを付けた。

今、ぐるりと回った限りでは警察官は見かけなかったが、そういえば、地下に下りてきたときに、それらしき制服姿の男の人を数人見かけたことを思い出した。

テーブルが集中したエリアを出ると、向こうのほうに警察官らしき制服姿の男の人を見つけ、思わず駆け寄った。その人は表情をほとんど変えずに、預かるよ、と言うと、私からバッグを受け取って歩き出した。

向こうのテーブルの椅子の背にかけてありました、と私がすわっていた方向を指差す。

わかりました、とまた、無表情に答えた。

どこにあったか、正確に知る必要がありますか。

そう尋ねると、何も言わずに私のあとをついてくる様子だったので、元いたテーブルに戻った。

この椅子にかけてありました。

先ほどの女の人が、私たちを眺めていた。私がいたテーブルには、すでにほかの人がすわって食事していた。辺りを歩き回ったが、仕事ができそうな照明の明るいテーブルは空いていない。また元のところに戻ると、先ほどの女の人が食事を終え、立ち上がった。そこはやはり明るくて仕事がしやすそうだ。

Do you want to sit here?

ここにすわりたいわけ?

Yes. Are you done?

ええ、あなたはもう終わったのかしら。

終わったわ、とその人が答えた。

おなかが空いたので、テーブルを確保するためにそこに本を置いて、スタンドでピザを買った。

駅構内にアナウンスが流れた。

自分の荷物のそばを離れないでください。放置された荷物は、MTA（＝Metropolitan Transportation Authority、ニューヨーク市を中心とする公共交通機関）の警察官によって検査を受けます。

あのバッグを持っているときに、爆発しなくてよかった、と胸をなでおろす。

テーブルに向かって歩いていると、私に席を譲り、立ち去ったと思っていた先ほどの女の人が、まだそこにすわっているのが見えるではないか。それも、私に何か言いたげな様子で、こちらをじっと見つめている。

私はぎこちなく、テーブルにトレイを置いた。すると、その人が立ち上がり、私に向かって言った。

That was very nice of you. Enjoy your meal.

あなたって、親切なのね。食事を楽しんで。

東京の中央線で隣にすわった青年のことを、翌日、夫に話した。

イヤフォンをしているのに、声をかけるのも悪いでしょう？

すると夫が、そういうときは、親指を立てればいいんだよ、と意味ありげに笑い、話し始めた。

ある朝、東京の自宅から最寄りの駅に向かう途中のことだ。スーパーマーケットの裏を通ろうとしたとき、大型トラックが道を塞いでいた。おそらく、開店前に商品の搬入に来たのだろう。運転手はバックでスーパーの敷地に入れようとしていたが、操作に手間取っていた。住宅地の狭い道路なので、かなりきつい。

トラックが入り終わるまで、脇を通ることができない。急いでいたが、仕方がないので、少しいらいらしながら待っていた。

見ていると、どうも曲がり方が甘い。これでは、もう一度、ハンドルを切り返さないと無理だろうと思っていた。ところが、トラックはカーブを見事に切り抜けてみせた。大したものだと感じ入っていた夫は、トラックの運転手を見て驚いた。あんなに大きなトラックを、中年の女の人が運転していたからだ。

その人は夫に向かって、しきりに頭を下げていた。こちらに彼女の声は届かなかったが、きっと何度も、すみません、と謝っていたのだろう。

これにも感じ入った夫は、思わず笑顔になり、女の人に向かって右の親指を立ててみせた。その人はまだバックしている最中だったが、緊張していた顔に笑みが浮かんだように見えた。

トラックの前を通り過ぎたとき、あえて振り向きはしなかったけれど、さっきはいらいらしてすみませんね、と心の中で詫びながら、駅に急いだという。

この話を聞いて私も思わず、夫に向かって親指を立てた。

That was very nice of you.
あなたって、親切なのね。

メイシーズのシマコさん

今、これを買ってきたんだ、と親しいアメリカ人の友人が、うれしそうにシャツの封を開け始めた。私にはごく普通のワイシャツに見えたが、とても気に入ったらしい。

彼はどの部屋からもセントラルパークを一望に眺められる、誰もがうらやむアパートに住んでいる。彼のような人は、どんな店で買い物をするのか興味があったので、どこで買ったのか、尋ねてみた。

メイシーズだよ。それも三十パーセントオフで、三十五ドルだったんだよ、と子どものように笑いながら、満足そうにシャツを自分の胸に当てている姿を見て、私はますます彼が好きになった。

以前、夫の転勤でニューヨークに住んでいる日本人が、メイシーズに買い物に行くのは、それなりの人たちでしょう？　と言っているのを聞いて、悲しく思ったからだ。

マンハッタンに数あるデパートのなかで、バーグドルフ・グッドマンは超高級、サックス・フィフス・アベニューは高級、そしてメイシーズは庶民的なイメージがある。私はその庶民的なところが、結構、気に入っている。

女性服のセールの売場などでは、床のあちこちに商品の服が落ちているし、店員の姿が見当たらず、探すのにひと苦労することも多い。閉店の三十分前にもなると、「閉まります」(We're closing.) と店員が叫んでいる。レジで並んでいる客に向かって、「次!」(Next!) と呼ぶ声は、ときに命令調に聞こえる。

日本に一時帰国したとき、閉店間際にデパートに駆け込んだことがあった。店員に追い返されるどころか、笑顔で迎え入れてくれるではないか。さらに閉店時間を過ぎても、「ただ今、閉店させていただきましたが、お買い物中のお客様はどうぞごゆっくり、お買い物をお楽しみくださいませ」と若い女性の澄んだ声でアナウンスが流れる。

やがて、「蛍の光」が店内に流れ、各階で店員が整列し、深々と丁寧にお辞儀した。出口でも再び、一列に並んだ店員が笑顔で挨拶する。「蛍の光」の音響効果もあったのだろう、ニューヨークの庶民派の店の接客に慣れていた私は、思わず涙ぐんだ。

そんなサービスはとても期待できないが、メイシーズのようなデパートでは、客にも店員にも人間臭さを感じる。女性服売場でマネキンを着せ替えていた店員ふたりが、胴体から取り外したマネキンの長く白い腕を差し出して、グッドモーニングと握手し合っているのを目撃したのも、このデパートだ。

ある日の午後、メイシーズで夫と日本語で話しながら、ネクタイを見ていた。すぐそばに大きな鏡があり、その前に六十代くらいのアジア系の女性店員が立っていた。彼女は鏡で自分の顔をしげしげと眺めながら、真っ赤な口紅を付けていた。アイシャドウは淡いグリーンだった。

と、突然、こちらを振り向いたかと思うと、あ〜ら、今、なんか日本語が聞こえたみたい、とちょっとおどけたように日本語で話しかけてきた。

日本人ですか、と聞かれたので、はい、と答えると、軽く会釈し、ちょっと澄ました様子で英語で言った。

Welcome to Macy's.

メイシーズへようこそ。

日本のどこから、いらしたんですか。

日本では東京の杉並区に住んでいます、と答える。

あ〜ら、いいところから、いらっしゃいましたね。

英語の抑揚で話しているような日本語だった。こちらの生活が長い人なのだろう。

そうですか、と私が答える。

昔は杉並に、変な人、いっぱい住んでましたけどね。

何のことを言っているのかわからなかったが、私たち夫婦は思わず、吹き出した。

でも、緑が多くて、いいところでしたよ。友だちが昔、杉並に住んでました。

ここで日本人の店員さんにお会いしたのは、初めてじゃないかと思いますけど、と夫が言った。

私、メイシーズで十五年も働いております。

ほかにも日本人の店員さん、いらっしゃるんですか。

いいえ〜。こ〜んなに広いデパートで、日本人はたったひとりです。

なんだかとても楽しそうに、お仕事していらっしゃるみたいですね。

はい。私、ここで働くの、大好きです。日本のデパートで働いていたこともあるんですけど、私、日本のデパート、大嫌い。みんな、ぺこぺこお辞儀ばかりして、かしこまっちゃって。デパートに入ると、私にまでお辞儀するんですよ。スーパーに行っても、いらっしゃいませ、なんて言って、もう。ヘンでしょう？　ここは本当に自由。ボスにも言いたいこと、言えるし。フリー・スピーキング。表現の自由があります。

メイシーズはいろいろな人種の人たちが買い物に来ているし。私たちも好きなんですよ、と私が話す。

前はサックス（・フィフス・アベニュー）で働いてたんですけどね、あそこは高くて、来るのはお金持ちだけです。千ドルのバッグだとか、八百ドルのブラウスだとか、みんな買ってて、イヤです。こちらに来て、本当によかったです。こっちのほうが庶民的で。

サックスではボスに何か聞いても、Take a look! なんて言われて。自分で見ればわかるだろ、とか言って、教えてもくれないんですよ、もう。ここは何、聞いても、大丈夫です。ご主人様は今、バケーションだから、お仕事なくて、お休みですか。

ええ、まあ。

ご主人様、お仕事は？

大学で教えています。

センセイ？　まあ、スバラシイです。

奥様、お仕事は？

本を書いています。

本？　本、私、買いますよ、買います。

そうは言ったものの、最後まで私の名前も何も聞かなかったので、買ってはくれないだろう。

私、息子がふたりいます。ひとりはＪＦＫ（ジョン・Ｆ・ケネディ国際空港）で働いています。ジャパン・エアライン（Japan Airlines）でエンジニアしてます。お母さん、日本人の女の子たちが、焼きそばとかお弁当、作ってきてくれるんだよ。もう、僕、本当によかった、って喜んでるんですよ。あなた、モテていいわね〜、って言ってあげるんですよ。

日本人の女の子たち、やさしいですね～。英語はあんまり話せないけど、コンピューターはとてもできるらしいですよ。日本人は頭がいいですね～。もうひとりの息子はカリフォルニアにいて、もう孫が三人いるんですけど、おばあちゃんに似たんだか、息子に似たんだか、みんなかわいいんですよ。

私たちはそろそろ、ネクタイとワイシャツの支払いを済ませることにした。

また、来ますね、と彼女に声をかける。

また、必ず会えますよ。だいたいここにいますから。いなくても、探せばいいんです。シマコはどこだ、って言って。

シマコさんは、私たちをレジに案内した。

そのとき、小学生くらいの黒人の男の子が、こちらに向かって走ってきた。その子が私たちの脇を通ったとき、シマコさんは、手に持っていた商品のシャツで男の子の肩を軽くたたくと、まだ、いたの？　お母さんは？　と笑顔で話しかけた。

夕方、暗くなり始めてもまだ外で遊んでいる子どもたちに、もうおうちに帰りなさいよ、と声をかける、ひと昔前の日本のおばさんのように。あの頃、近所のおばさんは、子どもたちみんなの顔を知っていた。

男の子のあとから、母親らしき黒人の女の人がちょっと険しい顔で足早にやってくる。

You have a nice boy.

いい息子さんね、
と、シマコさんが声をかける。

母親らしき女の人は、笑顔になって立ち止まる。

Thank you.

ありがとう。

私たちはネクタイとワイシャツの代金を払った。

シマコさんは商品を入れ、メイシーズの大きな紙袋を夫に手渡した。この大きな真っ赤なショッピングバッグは、シマコさんのイメージにぴったりだ。

別れを告げると、シマコさんが言った。

お気をつけて、お帰りください。

そして、今まで元気のよかったシマコさんが、トーンを落として、妙にしおらしく、つぶやいた。

懐かしい。帰りたい。

日本に、ですか。

意外そうに夫が聞く。

ときどき、帰られているんでしょ？　と私が尋ねる。

八月に帰ります。

じゃ、今度、私たちが来ても、シマコさんはここにいないかもしれないですね。八月か九月に。

八月か九月に、メイシーズにまた、来るんですか。じゃ、私、日本に帰るの、七月にします。日本、八月は暑いですし。日本はイヤ。アメリカのほうが涼しいんですから。家の中も。しかも、みんな、冷房ですから。こっちもあっちも、上から下まで。日本は暑いから、イヤです。

じゃ、お気をつけて。また、会えます、必ず会えます。探してくれればいいんですよ。シマコ、来てるか、って。ここにいなかったら、四階と五階ね。それからレディーズ・シューズとか、ジェントルメンのシューズとか。

シマコさん、ジェントルメンの発音が、日本語英語ではなかった。

もう、お会いできて、本当によかったです。

日本語で話しているのに、完璧にアメリカ人のノリになっているシマコさん。最後にそう挨拶しながら、私たちに向かって、あれほど嫌だと言っていたお辞儀を深々とした。

You have a nice boy.

いい息子さんね。

第6章

忘れられない人たち

パティのホームカミング

澄み渡る秋空の下、ダウンタウンからセントラルパークへ向かって五番街を歩いていくと、ゆらゆら風に揺れる赤、白、青の風船がいくつも目に飛び込んできた。

　私の通っている教会では、九月第一月曜日のレイバー・デー（労働者の日）の翌週、ホームカミング礼拝がある。夏の休暇が終わり、ニューヨークを離れていた人たちを、再びこの教会に「おかえり」と迎え入れる日だ。

　夏の間、姿を見せなかった人々と抱き合い、挨拶を交わす。休暇を取っていた牧師たちの変わらない笑顔にほっとし、久しぶりの説教に耳を傾ける。五番街沿いにあるので、いつの間にか、観光客が混じって参加していることもある。

　教会の脇の五十五丁目は歩行者天国になり、礼拝のあと、そこで軽いスナックや飲み物が振る舞われる。歩道に沿ってテーブルが並べられ、ボランティア活動など教会を紹介するパンフレット、説教のテープやＣＤなどが所狭しと置かれている。

　教会正面の階段を下りたところに、牧師たちが立っている。ひと言、話そうと、教会のメンバーが列をなして、辛抱強く待っている。

教会の外で何人かとおしゃべりを楽しんでいたとき、アジア系の若い女の人を見かけた。観光でニューヨークを訪れている日本人の大学生だろうと思った。Tシャツにジーンズ、スニーカーという出で立ちで、デイパックを背負っていた。アメリカでアジア系の人に会うと、服装や身のこなしで、どの国の出身か、たいてい判断できる術が身についていた。

誰と話すでもなく、ひとりで立っていたので、日本人ですか、と声をかけた。

いいえ、とその人は笑った。さわやかな笑顔だった。

おかしいですね。みんな、私のことを日本人だと思うんですよ。日本人にもよくそう言われました。

その人はパティという名前で、インドネシアのジャワ島の出身だという。ニューヨーク大学の修士課程を終えたばかりだ。専攻は観光経営学で、就職活動中だった。最近も面接を受けたばかりで、返事待ちだという。

どんな仕事をしているのですか、と聞かれたので、今は「癒し」について日本語で本を書きたいと思っているの、と答えた。

この教会で積極的に活動しているインドネシア人がいるので、あなたに紹介するわ、と言い、私は友人を探すために教会の中に入った。パティは私のあとをついてきた。

説教を終えた牧師の前には、いつものようにまだ長蛇の列ができていたし、皆、外で楽しそうに語り合っていたので、中にはほとんど人がいなかった。天井の高い、広い聖堂を見渡していると、パティがつぶやいた。

あなたが今、書いている本を、読めたらいいのに。

振り返ると、パティは私の目をまっすぐ見て、静かに言った。

I also have pain.

私にも痛みがあるから。

パティが吐いた重い言葉が、お祭り騒ぎのホームカミングに場違いに響いた。たった今、出会ったばかりなのに、パティが突然、訴えるようにそう言ったとき、誰かに耳を傾けてほしいのだろう、と確信した。

そうなのね、と私が言った。それは、家族のこと？

パティはまだ二十代くらいに見えたから、痛みを抱えているのは、自分が生まれ落ちた家族のことだろうと直感的に思った。私の周りには、日本でもアメリカでも、親との問題を抱えている人があまりにも多かった。

私の問いに、パティがうなずいた。

どうして？

両親が離婚したの。

いつ、離婚したの？

四か月、とパティが言った。

四か月前？

そうじゃなくて。私が生後四か月のとき。

生後四か月のとき？

私は一瞬、言葉を失った。

二十年以上も前に親が離婚したことを、なぜ今、見も知らぬ私に打ち明けているのだろう。そう思いながら、私はもう一度、尋ねた。

あなたが生後四か月のとき？

そう。

あなたが、まだ小っちゃな赤ちゃんだったときね。

四か月のときに両親が別れた記憶は、パティにはないだろう。記憶がない頃から両親が別れていたというのに、これほど長い間、彼女を苦しめ続けてきたのか。

そう。両親が離婚したの。そして、つい最近、祖父が亡くなった。

おじいちゃんには会っていたのね。

祖父は家族のなかで一番、私をかわいがってくれた。

パティは、自分の人生について、家族について、私にひとつひとつ、問いかけてほしいかのように、少しずつ、切れ切れに、語った。
ご両親が離婚して、あなたは誰と暮らしていたの？
離婚してからしばらく、私は父親と住んでいた。
それから？
それから、叔父と暮らしたの。
お母さんは？
祖父のお葬式で会ったわ。
あなたが生後四か月のときに離婚して以来、初めてお母さんに会ったの？
そう。
生後四か月なら、あなたもずいぶん変わっていたでしょうね。
Did your mother recognize you?
お母さんはあなたが誰か、わかった？
No.
いいえ。
自分を生んだ母親に、自分が誰か気づいてもらえない。それがどんなに辛いことか、
そのとき、私に実感できたなら、こんな問いを彼女に投げかけなかっただろう。
十七歳のとき、ひとりで台湾へ行って、そこで学校に通ったの。

ひとりで？

そう。それから、ひとりでニューヨークにやってきたの。パティはずっと、大きな痛みを自分ひとりで抱えてきたのか。それを、会ったばかりの赤の他人に、こうして打ち明けなければならないほど、悩み、苦しみ、それから自由になりたいと願い続けてきたのだろう。

私たち夫婦に子どもができないとわかったとき、私も絶望的な気持ちになったの。

私が言った。

で、どうやって答えを見つけたの？

答えを、私は見つけたのだろうか。

I prayed and prayed and prayed, but I have no answer.

私は祈って、祈って、祈った。でも、答えがないの。

パティはすがるように、私が答えるのを待っている。

私もとても時間がかかった。たぶん、まだ答えを見つけてはいないと思う。今も苦しいもの。でも、ないものではなく、あるものに目を向けようと、少しずつ思えるようになっていった気がする。

パティはずっと、私の目をまっすぐ見続けている。

あなたはひとりで台湾に行って、ひとりでニューヨークにやってきて、自分の手で人生を切り開いてきた。その強さが、あなたにはあったのよ。

そう言いながら、パティに自分を重ねていた。私も日本を飛び出して、十七歳で初めてアメリカにやってきた。そして、そのあと二度も、この国に戻ってきた。私はたぶん、自分の家族の重たさから逃れたかったのだろう。

目の前のパティは、重たく感じる家族がない。いや、家族がないというその重たさから、逃れたかったのだろう。故郷を離れることで、自分の過去を封印し、忘れようとしたのかもしれない。あるいは、離れることで逆に、自分の心の中に家族が戻ってくることを願っていたのだろうか。

やがて、やむにやまれず離婚したご両親の気持ちが、あなたにわかるときがいつか来るかもしれない。あなたも、私も、ご両親も、人は皆、欠点を持った人間であると気づいたときに、ご両親を許すことができるのかもしれない。

パティはまだ、私を見つめ続けていた。

でも、それはとっても難しいことよね。私自身、なかなかできないもの。

私が言った。

その後、ほかの約束があって、私はそれ以上、パティと話すことができなかった。

この教会で説教を聞いたら、もしかしたら答えが見つかるかもしれないわね、と私が言った。

何か話したいことがあれば、いつでも連絡をくれるようにと、言い添え、紙切れにEメールアドレスを書いて、手渡した。

あなたの本が読めたらいいのに。

さっきの言葉を、パティは繰り返した。

私はパティを抱きしめて、別れた。


パティから連絡はない。教会にパティが顔を出したかどうか、皆に聞いてみたけれど、彼女を知っている人はいなかった。あんなに重たい心のうちを吐き出してくれたのに、私はゆっくり耳を傾けてあげることができなかった。

夏が終わり、ホームカミングの季節になると、パティのことを思い出していた。

最近、雑踏のなかで、あのときの彼女に似た学生風のアジア系の女の人を見かけた。

パティ、と思わず声をかけそうになり、ふと我に返った。

そして、自分の愚かさを笑った。

あれからすでに、十年もの歳月が流れているのだ。パティは三十代になっているだろう。

今はパティも結婚し、「おかえり」と言ってくれる新しい家族がある。帰ることのできる家族がある。

パティのホームカミング。

あの日、何もしてあげられなかった自責の念からかもしれない。

そんなパティの姿を、私は勝手に想像している。

I also have pain.

私にも痛みがあるから。

ニコライのお願い

ここで何が釣れるのですか、と声をかけると、僕に何も聞かないでおくれよ、というように、ニコライは一瞬、困った顔をした。そしてすぐにまた、にこにこと笑った。真っ青な空の下で穏やかに波打つ海の水が、朝日を受けて青や銀に輝いている。

雲ひとつない快晴の晩夏の朝だった。夫と私は海を見たくなり、マンハッタンから地下鉄に飛び乗って、一時間ほどかけてやってきた。

ニコライは浜辺に立ち、波打ち際で長い釣竿を手に釣りをしている人々を、ぼんやりと眺めていた。朝から海辺で釣りだなんて、いかにも穏やかで平和な光景だ。

No English.

ノー・イングリッシュ。

ニコライはそう答え、話せない分、笑顔で誠意を示そうとしているかのように、ほほ笑み続けていた。

釣っているまねをして、釣竿を上下に動かすしぐさをしても、首を傾げるだけだ。ついに釣りをしている女の人に向かって、アンナ、アンナ、と叫んだ。呼ばれた女の人が釣糸を水から引き上げて、こちらに向かって歩いてきた。

さあ、どうぞ、この人に何なりと聞いてください、といったふうに、両てのひらを上にして、釣り人に向けた。

あんなに叫んで、ニコライ、いったい、何事よ、とでも言っているのだろう。女の人はやや強い口調で、ロシア語でニコライをたしなめた。そして、私の質問にアクセントのある英語で、魚に決まっているでしょ、と答え、フエダイ（snapper）よ、とつけ加えた。

女の人はさっさと波打ち際に戻っていった。

ニコライはにこにこしながら、私を見つめている。

どのくらい前にアメリカに来たのですか、と尋ねると、その英語はわかったようで、Seventy. と答えた。

二十年も前に？　それとも、一九七〇年ですか。

ニコライはほほ笑みながら、Seventy. と繰り返している。

十七？（Seventeen?）と私の夫が尋ねると、ニコライはうなずき、七十（Seventy.）と答える。そして、私の左手を取ると、数字を覚えたての子どものように、てのひらに人差し指でゆっくり、「17」と書いた。それから、私に顔を近づけて、情けなさそうな顔をして言った。

Seventy years and I speak no English. Stupid.

七十年。それで、英語、話さない。バカ。

十七年間もアメリカにいるのに、僕は英語も話せないんだよ。バカだろう。

そう言っているのだろう。

ここブルックリンのブライトンビーチは、「海辺の小さなロシア」（Little Russia by the Sea）と呼ばれるとおり、ロシア語を話す移民が多く住み、駅前の通りにはロシア文字の看板の店が軒を並べる。

ニコライは小柄で、グレーの野球帽を被り、淡い色のサングラスをかけていた。上半身は裸で、胸の両脇が「への字」に垂れている。スイカのように丸くはち切れそうなおなかを突き出し、その下にだぶだぶの紺色の膝丈パンツをはいていた。

ニコライはアクセントの強い片言の英語で、単語を並べ始めた。それをつなげてみると、彼のこれまでの人生が浮き彫りになった。

七十五歳。ウクライナ南部、オデッサからやってきた。黒海沿岸にある港湾都市だ。ハンガリーのブダペストで、三か月間、軍隊に入っていた。アメリカに来て、十七年になる。ニューヨークの南、メリーランド州の港湾都市ボルチモアに住み、そこで電気関係の仕事をしていた。二か月前に、息子家族の住むニューヨークに引っ越してきたが、息子たちとは別にひとりで住んでいる。

ニコライは野球帽を取り、つばの正面に貼ってあるワッペンを指差しながら、ボルチモア・オリオールズと言って、うれしそうに私たちに見せる。星条旗を背景に、鳥の絵が描かれている。どうやら、ボルチモアのメジャーリーグチームの名前の由来となった鳥、ボルチモアムクドリモドキ（Baltimore oriole）のようだ。

アンナと呼ばれた女の人が、こちらにやってきた。釣った魚の写真を撮らせてもらっていると、ニコライが、僕は？　というように自分の胸を指差した。そして、くるりと回ってアンナの右脇に立ち、両足を軽く開いて立った。いつの間にか、自分の背丈の倍ほどありそうな釣竿を右手に持っている。

アンナは体を斜めにして立ち、腰に手を当て、片足を軽く曲げてポーズを取る。空と海の色より明るいショッキング・ブルーのノースリーブのTシャツを着て、ピンクや黄色の大きな柄の入った濃いブルーのショートパンツをはいている。色の濃い茶系のサングラスをかけ、つばの広い帽子の前には大きな白い花が飾られている。

ニコライはアンナより少し背が低く、突き出したおなかといい、手にした釣竿といい、まるで七福神のえびす様のようだ。

よく見ると、ニコライのパンツは裏返しで、ポケットの裏地が外に出ている。華やかな雰囲気のアンナとえびす様は、あまりに不釣り合いだ。

「新聞」（newspaper）と「特派員」（correspondent）によく似た言葉を、ニコライは何度も繰り返す。どうやら私が新聞社の特派員だと思い込んでいるようだ。

　この辺りでは、黒人やアジア系の姿をあまり見かけない。ロシア系コミュニティのふだんと変わらない穏やかな浜辺に、突然、見たこともないアジア人の男女ふたりがやってきて、あれこれ話しかけ、写真まで撮っているのだから、そう思うのも無理はない。

　違いますよ、と何度、説明しても、特派員だと思い込んでいるらしい。特派員ではないけれど、本を書いていますよ、となるべくわかりやすい英語で、I write books. と言ってみるが、ニコライは目を細めて首を傾げるだけだ。本を読むまねをしたり、book の代わりに libro と言ってみたりしていると、ニコライが突然、うれしそうに何か叫んだ。

　釣りをしているアンナに聞くと、よくわからないけれど、ウクライナの作家みたいよ、と言う。私が本を書いていると理解したのか、祖国の好きな作家の名を口にしたらしい。

　アンナは七十三歳。ウクライナの隣国、モルドバからやってきた。ウクライナより三日遅れてソ連から独立し、ヨーロッパのなかで最も貧しい国といわれる。

　あれが夫。英語が上手よ。

　向こうで、つばの広い山高帽を被った男が、デッキチェアにすわり、新聞を読みふけっていた。

ワイフが釣りをしている間、私は新聞を読んでいるんだ。

あまり愛想もなく淡々と話していたが、イディッシュ語の新聞ですね、と私の夫が話しかけると、どうしてわかったのかね、と目を細めて顔を上げた。

イディッシュ語は、ヘブライ語と並んでユダヤ人が使う言葉だ。ドイツ語方言にヘブライ語やスラブ系の言語が混ざっている。

私たちにわかるように、皆は英語で話している。理解できないのは、ニコライだけだ。話す人が変わるたびに、そちらに顔を向けてほほ笑んでいたが、何度かアンナに話しかけ、何かをせがむようなしぐさをした。

アンナがやや強い口調でひと言何か言うと、ニコライはすごすごと引き下がり、今度はアンナの夫に歩み寄り、同じように何か訴えている。アンナの夫はニコライなど視界にも入っていないかのように、新聞に目を落とした。

そこへ、いったい何の話かね、というような感じで、白髪頭の小柄な男の人が近寄ってきた。黒いスイミングショーツをはいている。朝、ひと泳ぎするために、海にやってきたのだろう。英語が流暢（りゅうちょう）なこの人は、一九八二年にレニングラード、今のサンクトペテルブルグからアメリカへやってきた。

家賃は九百ドルもするんだ。ひと月一千ドルの収入で、いったいどうやって家賃を払えるかね。政府が毎月一千ドルとフードスタンプを支給してくれる。

God bless America.　It's the best country in the world.

アメリカに神の祝福あれ。世界で最も素晴らしい国に。

ロシアはだめだ。コミュニズムというシステムが悪い。

ニコライも、「アメリカ」と「ベスト」という言葉はわかったのだろう。しきりにうなずいている。そして同じように、白髪頭の男ににじり寄り、題目を唱えるように手をこすり合わせながら、何か訴えている。白髪頭の男は、何だって、というように聞き返したものの、ニコライを無視して私たちを相手に話し続けている。

今度はどこからともなく、体格のいい男が現れた。現れるやいなや、話すチャンスを与える間もなく、ニコライは男の腕を取り、何やらささやいている。自分の代わりに英語で、私たちに何かを説明してほしいようだった。

そんなこと、どうでもいいだろ、といった感じで、体格のいい男は彼を振り払い、相手にしない。

この男はウクライナ出身で、ラトビアにも一年だけ住んだことがあるという。

コミュニストはよくない。プーチンはよくない。アメリカが最高だ。手に入れたいものは、何でも手に入れることができるんだ。医者になりたければ、誰だって医者になるための勉強ができる。

そして、今度は彼がニコライに何か聞きながら、私たちに説明し始めた。

ニコライは、フードスタンプを月に百三十四ドル分もらっているという。なに、ニコライ、お前はひとり住まいなのか。そうか、ひとり分で百三十四ドル。それ以外に、政府から七百二十四ドルが支給されているというわけなんだ。

ニコライがひとり住まいであることを、皆、それまで知らなかったらしい。ニコライは毎朝のようにここに来ていて、気心の知れた仲間なのかと思ったが、じつはこんなふうに自分たちのことについて話したのは、初めてなのかもしれない。

ニコライが興奮したように、体格のいい男に何か耳打ちすると、男がニコライの代わりに英語で私たち夫婦に説明した。

テレビも、電気も、ガスも、携帯電話も、みんな払ってくれるんだ、と。

突然、その男が、自分の左の手首を出し、私たちに見せた。腕輪のような跡がある。

アウシュビッツだよ。

そこに入れ墨で、収容者の管理番号が刻まれていたのを、あとで消したようだった。

今度にシャツをたくし上げて、腹と背中を見せた。どちらにも、何かで刺されたような傷跡があった。

ドイツに取り入ったウクライナ人に、やられたんだ。

ニコライもしばらく沈黙し、男の手首を見つめていた。が、やがてまた、その男に何やら頼みごとをしているようだ。その男は前と同じように、ニコライが言っていることを一笑に付し、煩わしいハエを追い払うようなしぐさをした。

今、僕が住んでいるアパートには、パキスタン、イスラエル、ウクライナ、日本、あらゆる国から来た人がいるよ。アメリカだから、それが可能なんだ。アメリカ、ベスト・カントリー、ベスト、ベスト、ベスト、ベスト。僕はこの国のためなら、自分の命をかけて、戦ってもいい。

ニコライは、またもや登場した「アメリカ」、「ベスト」という英語の単語に笑顔になり、片言の英語で口をはさむ。

サンキュー、アメリカ。サンキュー、アメリカ。僕、毎日、感謝している。

私はニコライの様子が気になり、体格のいい男に聞いた。

ニコライはさっきから、あなたたちに何て言っていたの。

気にするようなことじゃないさ、と男が答えた。

でも、知りたいわ。

彼は呆れたようにニコライを見ながら、言った。

くだらないことだ。ニコライは、自分について書いてほしいと、君に伝えてくれ、って言ってたんだよ。自分について、いいことを書くように君に話してくれと。まったく、バカみたいなやつだ。いいんだよ、相手にしなくて。

自分の思いが私に伝わったとわかったのだろう。ニコライはにこにこしながら、私を見ている。

私は男に言った。

ニコライに伝えて。彼についていいことを書きますから、って。

気にしなくていいんだよ。

お願い、伝えて。

男からそれを聞いたニコライは、好物のお菓子をもらった幼い子どものように、嬉々として私の腕を取り、小躍りした。そして、祈りを捧げるように、顔の前で両手を組み、その手を震わせながら、プリーズ、プリーズ、と繰り返した。

今日撮った写真を、あとで送りますからね。

別れ際に私がそう言うと、オー、サンキュー、サンキュー、と何度も口にした。

私は夫と海を背に町のほうへ歩きかけたが、最後にもう一枚だけ、彼らの写真を撮りたくなり、振り返った。

カメラを向けても、ほかの人たちは浜辺に寝そべってたばこを吸っていたり、新聞を読んでいたりして、気づいていない。

ニコライだけは、膝丈のだぶだぶのパンツを必死に両手で引き上げて、身なりを整えている。そして斜めに立ってポーズを取り、カメラをじっと見つめて満面の笑みをたたえた。

写真を撮り終わると、こちらへ駆け寄ってきて、私の右手を取った。名残(なごり)惜しそうに何度も甲に口づけし、片言の英語で言った。

Good. Write. For me.

いい。書いて。ぼくのために。

ニコライがアメリカに渡ったのは、ちょうどソ連が崩壊し、ウクライナが独立した頃だ。難民としてやってきたのか、すでにアメリカに移住していた家族と暮らすために渡米したのか、詳しいことはわからない。

彼らは手放しにこの国をほめ称えているように聞こえるけれど、それは祖国で受けた言いようのない苦しみや悲しみの裏返しなのかもしれない。

別れ際にニコライが、自分の言葉で私に伝えた思い。彼について何も知らない私には、彼と出会ったあの朝のひとコマを、ただそのまま、書き留めておくことしかできない。

それでも私は、初めて会ったニコライとの、最初でおそらく最後の約束を果たしたいと思った。

Write. For me.

書いて。ぼくのために。

ビルの旅立ち

　ビルと初めて出会ったのは、もう十数年も前のことになる。養子を迎えた家族や、再婚家庭、生殖医療で子どもを授かったカップルなど、いわゆる伝統的ではないさまざまな家族の形を本にまとめようとしていたときだった。

　当時、ビルは出版社で広告の仕事をしていた。夕食の準備をするサラと、私がキッチンで話していると、ワイングラスを片手にビルが会話に加わってきた。サラは明るくおしゃべりだが、ビルはどちらかというと物静かで、ぼそっとジョークを言っては私たちを笑わせた。

　子どもを産めない体だ、と医者に宣告され、悲しみに打ちひしがれていたとき、ビルの言葉で、私は救われたのよ、とサラが言った。

　大切なのは、僕たちに似た子どもを持つことではなく、子どもを育て、愛することだと思わないかい。

　こうしてふたりは韓国から、産まれて間もない女の子リリーと、その後、二歳違いのデービッドを養子に迎えた。

四人の話が収められた『アメリカの家族』（岩波新書）が出版された翌年、あれはちょうど同時多発テロの翌月、二〇〇一年十月だった。

ビルの弟は肝臓移植を待っていたが、間に合わずに亡くなった。弟の葬儀に出かけようとしていた朝、すぐに病院に来るように、と医者から電話があった。ビルが何日か前に受けた検査の結果が出たのだ。

緊急手術の結果、脊髄に癌が見つかった。二度目の手術で、癌はすべて摘出された。ところが、手術室から現れた医師は、動揺していた。

医療ミスが起きたのだ。ビルは首から下が不随になり、四肢は麻痺した。

人生は一変した。それからずっと、車椅子の生活になった。食事も排泄も寝返りも、自分ではできない。絶望感にさいなまれた。

その後、再び二度の手術を受け、コンピューターチップを胸に埋め込んだ。右手で少しずつ、ものを握れるようになった。音声認識ソフトを使い、右の握りこぶしでキーを打ち、パソコン操作もこなした。

少しずつ、前のようにジョークを言い、笑えるようになった。

ある日、サラから届いたEメールを開いて、私は仰天した。スカイダイビングしているビルの写真が添付されているではないか。

もちろん、そんな無謀なことに挑戦して、何が起こるかわからない。

何十枚もの書類にサインさせられたよ、とあとでビルが笑っていた。

私はサラとビルによく会っていた。その夏も週末、彼らのアパートに夕食に呼ばれ、ビルもいつものようにワインと食事を楽しんでいた。彼が寝室に引き上げてからも、サラと私はリビングルームでおしゃべりに花を咲かせていた。

夜遅くなってもいいように、泊まっていけば？　と言われていたから、翌日も彼らと一緒にいた。快晴だったので、友人がビルをハドソン川沿いに連れ出し、サラは夕方からユダヤ人の友人を呼び、彼らの間で流行している「ユダヤ式麻雀（マージャン）」に没頭していた。

ビルが急死した。東京にいる私のもとに、サラからメールが届いたのは、その二か月後のことだった。細菌感染が全身に及ぶ敗血症だった。容態が急変したという。
メールは娘のリリーと連名だったから、リリーが書いたのだろう。
The combination of loss of kidney function, the pneumonia he contracted from the ventilator, and the original sepsis that caused him to go into the ICU was a bit too much, even for a superman to handle.
もともと集中治療室に送られる要因となった敗血症に、腎機能低下、人工呼吸器から感染した肺炎ときては、さすがのスーパーマンにもちょっと手に負えませんでした。

脊髄に損傷や麻痺を負った人々とその家族に、ビルがカウンセリングしていた、と私が知ったのは、亡くなる二か月前、あの夏のことだった。介助なしには生活できない、人から援助されなければ生きられないビルが、ほかの人に救いの手を差し伸べていた。脊髄損傷者の生活の質の向上を目的とする複数の非営利団体に属し、さらに大手病院ではピア・メンターとして、新たに障害を持った患者が不安を乗り越え、生きていく手助けをしていたのだ。

あれから何度もビルとサラに会いながら、その話が話題にも上らなかったのは、ふたりにとって、それがあまりにも当たり前のことだったからなのかもしれない。

私がふたりのアパートを訪ねるとき、ビルはいつも介助を受けながら一緒に夕食をとった。しばらくおしゃべりを楽しむと、電動の車椅子を握りこぶしで操作し、自分の寝室に入っていった。

サラと深夜まで話し込み、おやすみを言うためにビルの部屋に入ると、たいていパソコンの画面を眺めているか、テレビを見ていた。パソコンではよくゲームをしていると聞いたし、こぶしでメールも打っているようだったが、社会との接点はほとんどなくなったものだと思っていた。

元気だった頃のビルの言葉が、今だからこそ、さらに胸を打つ。

毎朝、目覚めると、窓からハドソン川を眺め、自分にこう言うんだ。

Life is good.

人生って、いいものだよな。

ああ、今日も、歯を磨ける。ひげを剃れる。髪をとかせる。フォークでオムレツを食べられる。そんな小さなひとつひとつが、僕にとってはとても大きなことなんだ。

前は、いろいろなことにわずらわされて、人生がもっと複雑だった。

生きている。そのことが、ありがたい。人生は楽しい。そう、感じているよ。


先日、初めて、何気なくビルのフェイスブックのページを開いてみた。ここでやりとりをしたことはなかった。プロフィールの一番上に書かれた言葉に目が留まった。

I'm funny. I made somebody laugh in November.

僕はひょうきんなんだ。十一月、あるやつを笑わせたんだ。

その人が笑ってくれたことが、よほどうれしかったのだろう。

その一年後、ビルは私たちを残して旅立っていった。

I'm funny. I made somebody laugh in November.
僕はひょうきんなんだ。十一月、あるやつを笑わせたんだ。

『ものすごくうるさくて、ありえないほど近い』

同時多発テロ事件からちょうど一年目の九月十一日、私はあの場所に立っていた。額に入った犠牲者の写真を胸に抱いた遺族たち、ユニフォーム姿の警察官や消防士らが、二千六百人以上もの犠牲者の墓場となり、恐ろしいほど深く巨大な穴となったグラウンドゼロに向かって歩いている。

人だかりから抜けると、白髪に長く伸ばした白い顎ひげのおじいさんが立っていた。Tシャツの胸には、HUGS! HUGS! HUGS! とプリントされている。

What all the people in the world need now is the Hug Man.

今、世界じゅうの人になくてはならないのは、ハグ・マンです。

おじいさんが配るチラシに、そう書かれている。

通りすがりの人が、ハグしてもらえますか、と声をかけると、おじいさんはにっこりと笑って、もちろんだとも、と答え、しっかりとその人を抱きしめた。

ありがとう。気持ちが楽になりましたよ。うれしかったですよ。

人々はそう礼を言って、去っていった。

ニューヨークが舞台になっている映画『ものすごくうるさくて、ありえないほど近い』を観て、そのことを思い出した。

十一歳のオスカーは、同時多発テロで大好きな父を失った。繊細で人とうまく関わることのできない少年を、誰よりも理解し、一緒に遊んでくれた親友でもあった。

アスペルガー症候群の傾向がみられるこの少年は、電話の音が怖く、エレベーターや地下鉄にも乗れない。

父はよく「調査探検ゲーム」をして遊んでくれた。父が課題を出し、少年がそれを解決していくことで、社会で生きていく力をつけてほしいと願っていたからだ。

オスカーの母は、悲しみに打ちひしがれ、傷が癒えないまま、心を閉ざしているようにみえる。少年は父の遺品の匂いを嗅ぎ、スーツに触れ、父と一緒に過ごした時間を取り戻そうとしている。

ある日、遺品の壺（つぼ）の中から、封筒に入った一本の鍵を見つける。封筒には赤いマジックで、「Black（ブラック）」とだけ書かれていた。それはおそらく、人の名前なのだろう、と少年は推測する。

父はあの「調査探検ゲーム」のように、少年に課題を出しているのだ。父が残してくれたメッセージが、そこにある。この鍵で開けられる何かを、ブラックという名前の人が持っているに違いない。

確信した少年はその意味を知るために、鍵穴を探してマンハッタンやブルックリンなどニューヨーク五区を巡る旅に出る。分厚い電話帳でブラックさんたちを探し出し、彼らを訪ね歩く。綿密に計画を立て、地下鉄や橋など〝怖いもの〟を克服し、人とコミュニケーションを取っていく。

大人たちはそれぞれの立場や思いで、少年を見守る。近くに住む祖母とは、いつも無線機でつながっている。口をきかずメモ書きで意思を伝える、祖母の家の謎の間借り人は、少年の旅に同行する。

喪失感から子育てを放棄したかに見えた母は、じつは大きな愛で彼を支えていた。

家族だけではない。ブラックさんたちは少年を招き入れ、ハグし、耳を傾け、励まし、祈り、自分の話も聞いてもらいたがる。彼らもまた、それぞれ喪失感を抱いていた。人のやさしさや痛みに触れ、少年の心は癒され、癒す立場にもなっていく。

父の鍵は、少年の心の扉を開けた。そしてその向こうにあるのは、彼を取り巻く現実の社会そのものだったのだ。

東日本大震災の日、私はニューヨークにいた。日本人と知ると、バスの中で、道端で、見知らぬ人が何も言わずに私を抱きしめ、手を握った。震災の四日後に、長距離バスに乗った。深夜、マンハッタンのバスターミナルに到着すると、運転手は私の両手を握りしめたまま、噛みしめるように言った。

本当に、お気の毒に。あなたの国の人々のために、祈っています。私もちゃんと募金しますから。あなたも、くれぐれも体に気をつけて。神のご加護がありますように。

その一週間後に、友人宅で行われたある会合で、初めて会ったアメリカ人女性も、私が日本人だとわかったとたん、言葉もなくただ私を強く抱き寄せた。

グリニッチビレッジで床屋を経営する男の人は、写真を撮らせてほしいという私に、言った。

何だってオーケーさ。日本のためになるんだったら。

市バスでたまたま隣にすわった高齢の女の人も、声をかけてくれた。

My heart is with your people.

あなたたち日本人のことを、想っています。

そして私がバスを降りるときに、私の手にそっと触れ、祈るように言ってくれた。

I wish you good fortune.

幸運に恵まれた人生でありますように。

日本のすべての人たちに向けて、そう言ってくれたのだろう。

エルフリーダと出会ったのも、震災の直後だった。夫とふたりでイースト川沿いの公園のベンチにすわっていると、丈の長い黒いコートに身を包んだクラシックな雰囲気の女性がたばこをふかしながら、こちらに向かってゆっくり歩いてきた。つばの付いた黒い帽子を被り、黒いブーツを履いていた。五〇年代の古きよき時代のアメリカ映画から現れたようで、写真を撮らせてほしいと声をかけたのがきっかけだった。

遠くから見たときはわからなかったが、彼女はもうすぐ七十歳になろうとしていた。私たちが日本人だとわかると、心から気の毒そうな顔をした。ちょうどその朝、ドイツから届いた雑誌に、震災の被災者の忍耐強さを称える特集記事が掲載されていたという。しばらく話し込んだあとで、あんたたちにぜひ、その記事を見せてやりたいね。時間があるなら、ちょっとうちに寄らないかい、と言って、近くにある彼女のアパートに私たちを連れていった。

それからもエルフリーダは、私が日本に帰るたびに、ニューヨークに戻ってきたら、必ず連絡しておくれ、と言い、私もこの街に戻ると、彼女に電話して知らせるようになった。

私はエルフリーダとの出会いについてエッセイを書き、『ニューヨークの魔法のさんぽ』（文春文庫）に収めた。その本には震災直後にニューヨークで出会ったほかの人たちの話もいくつか含まれていた。

先日、いつものように、エルフリーダが自宅に招いてくれたとき、その本を読んだある読者が、東日本大震災にまつわるエピソードについて、こんな感想を述べてくれたのよ、と彼女に話した。

その読者は、「どこかの国が困っていると、世界中が助け合う。素晴らしいよな。で、今は日本の番なんだ」というメキシコ人の言葉に触れたあとで、こう記していた。

今すぐニューヨークに行って、道行く人、みんなにハグをして、ありがとう！　ありがとう！　と叫びたくなった。

読者の言葉を伝えながら、感極まって、私は思わず声を詰まらせた。

ごめんなさい、と私が謝ると、エルフリーダは私の肩に手を置いて、いいんだよ、と言った。そして、私を引き寄せて、しっかりと抱きしめた。

それはちょうど、『ものすごくうるさくて、ありえないほど近い』を観て、半年ほどたった頃のことだった。

私が映画で号泣したのは、少年を思い、母親がブラックさんたちを訪ね回ったときだ。夫をテロで亡くしたと知ると、見知らぬブラックさんがひしと母親を抱きしめる。体を離し、顔を見つめては、また感極まって抱きしめる。そしてまた、抱きしめる。

家族だけではない、人は見知らぬ人に癒されることもあるのだ。

少年と母親のように、私もニューヨークを歩き回り、たくさんのブラックさんたちに出会い、豊かで満たされた思いに包まれていく。

あの映画には、まさに私の好きなニューヨークがあった。

What all the people in the world need now is the Hug Man.
今、世界じゅうの人になくてはならないのは、ハグ・マンです。

あとがき

この本のエッセイ「土曜日の朝のカフェ」を読んだ担当編集者が、「どれも、同じ朝に起きたことなんですか」と意外そうに聞いた。

私はバナナマフィンとコーヒーの朝食をとりながら、その朝の様子をメモに残していたので、〝証拠〟をメールで編集者に送った。

顔見知りが集まる田舎町の小さなカフェならともかく、大都会ニューヨークで見ず知らずの他人同士が、些細なこととはいえ、支え合っているのが、驚きだったのだろう。

この街に長く住めば住むほど、ニューヨークなのに、ではなく、ニューヨークだからこそ、こういう光景がごく自然に繰り広げられるのではないかという気がしてくる。

拙著『ニューヨークのとけない魔法』（文春文庫）がシリーズ化され、うれしいことにベストセラーになった。

「自分の町でも見知らぬ人と笑顔や言葉を交わせたら」「人に親切にしたくなった」という声が多く私の元に届くのは、私たち日本人も触れ合いを求めているからだろう。

長年、ニューヨークに住んだ私は、この街の負の部分も、厳しく孤独な面も、十分理解しているつもりだ。一部の人の、横柄で人を人とも思わないような態度に、腹が立つこともある。だが、それを補って余りある魅力が、この街にはある。

ニューヨークに住む人々の多くが、ここはアメリカのほかのどの街とも違う、と断言する。たいていの人はニューヨークが好きで、この街を誇りに感じている。好きか嫌いかはっきりと分かれ、嫌いな人はチャンスがあれば、とっとと逃げ出しているはずだ。

大半のニューヨーカーはフレンドリーで、人に手を差し伸べたいと思っている。無礼な人もいるが、それが誤解である場合も少なくない。概してニューヨーカーは、せっかちだ。呼び止められ、要領を得ない質問をされたら、じっと聞いている我慢強さはない。

挨拶の言葉も、"Excuse me."(すみませんが)もなく、突然、本題に入ることも多い。道を歩きながらいきなり、"Is there a post office around here?"(この辺に郵便局、ある?)などと聞いてくる。

アメリカの他の都市では、裕福な人は郊外に移り住み、それが経済的に許されない人が都会に残る傾向がある。しかしニューヨーク、とくにマンハッタン島には、ミリオネアーも庶民も低所得者も、ギニア人もメキシコ人もウクライナ人も住んでおり、地下鉄やバスで隣り合わせ、道ですれ違い、同じスーパーや映画館の列に並ぶ。

狭い島に多種多様の数多くの人々が、ひしめき合って暮らしている。道端にラグを敷いてひざまずき、メッカに向かって祈りを捧げるイスラム教徒の脇を、頭にヤムルカを被ったユダヤ人が通り過ぎていく。すぐ隣に、自分とは異なる文化や宗教、価値観を持つ人が、ごく当たり前に存在する街なのだ。だから、あなたも私も、ありのままでいい。

先日、成田空港の搭乗ゲートで撮った写真に、"Off to New York"（ニューヨークに行ってきます）と書いてフェイスブックに投稿すると、テキサス在住の人がコメントを残した。

New York is not the most friendly city in the USA, but I hope you find what you want.

ニューヨークはアメリカで最もフレンドリーな街というわけじゃないけど、ほしいものが見つかるといいね。

この人は遠回しに、ニューヨークは無礼な街だ、と言っているのだろう。

ほしいもの。私はそれを、すでに見つけた気がする。

ジョン・レノンの「イマジン」（*Imagine*）の歌詞に、私はニューヨークを想う。

Imagine all the people/ Living life in peace…

想像してごらん／みんな平和に暮らしているのを…

I hope someday you'll join us/ And the world will be as one

君もいつの日か夢追い人になってくれ／そうすれば　世界はひとつになる

ニューヨークは混沌としているし、矛盾も抱えている。それでも、カフェで同席したあの男の人が言うように、これだけ多くの多種多様な人々が平和に手を携え合って暮らしているのは、奇跡ともいえる。

ジョン・レノンの歌う世界に最も近いところに、もしかしたらこの街はあるのではないか。そんな希望を、私は見つけた気がするのだ。

この街について語り合い、熱意をもって丁寧に舵取りをしてくれた編集者の鈴木萌さん、励まし支えてくれた小森孝光氏、友人の沢田美和子さん、Clay Eicher さん。この場を借りて、お礼を申し上げます。そして、夫の塩崎智に。ありがとう。

二〇一三年春　ニューヨークにて

岡田光世

This book is dedicated to Bill, who passed away on October 8th, 2012.
二〇一二年十月八日、旅立っていったビルに、この本を捧げる。

文庫版あとがき　シマコさんをさがして

二〇一三年冬、メイシーズ店員のシマコさんをさがす旅が始まった。本書の元になった単行本に、彼女の話を掲載する許可を得るためだ。連絡先を聞いていなかった。

まず、日本からメイシーズのネクタイ売場に電話する。奇妙なことに、誰も彼女を知らないという。靴売場にいるかもしれないと話すと、靴だけで内線がいくつもあるんだよ、と困った様子だ。そのうちの一つにつないでくれると、おばあさんの声がする。

「ここはエレベーターの中。アタシはお客だよ。オフィスに電話しな」と笑っている。

わけがわからない。担当部署はいつも留守電だ。メルアドを残すが、返事はない。

その後、メイシーズへ出向く。ここは巨大なデパートだ。やはり、ネクタイ売場で彼女を知っている人はひとりもいない。ほかの売場もさんざんさがし回り、店員、店員の上司、すれ違うスタッフ、清掃する人たち、会う人会う人声をかけるが、反応は皆同じだ。

十五年間も働いていたのに、なぜ誰も知らないのだ。

シマコはどこだ～と言えば、すぐに見つかりますよ、と話していたではないか。

エレベーターを待っていた白人の男性店員に、理由を話し、知らないか、と尋ねた。

So she's an important person.（じゃあ、本に書かれるほどの要人なんだね）

　私が返答に困っていると、Then she must have an exciting story.（じゃあ、彼女の人生はエキサイティングに違いない）と勝手に解釈している。

　ねえ、君。代わりに僕について書いたらどう？　僕はつねに高みを目指そうとしているんだ。で、今はメイシーズにいるってわけ。でも人間、目標を達成してミリオネアになっても、欲には切りがないのさ、とくにエキサイティングでもない話をすると、じゃあね。君がさがしている人、見つかるといいねと言って、エレベーターを降りていく。

　翌日、再び担当部署に電話する。初めて人が出た。「お店に行って、聞いてみたわけね？　できることはやってみるけど、約束はできないわ」という期待できない返事だ。

　人物検索のインターネットサイトで調べると、同姓同名の人が現れたが、年齢が八十二歳になっている。シマコさんはせいぜい、六十代にしか見えなかったが、クレジットカードで九十五セントを支払うと、電話番号を手に入れられる。早速、電話してみた。

　高齢の女性らしき人が出たが、すぐに切られた。もう一度、かけてみるが、出ない。もうひとつ電話番号が載っていたので、そこにもかけてみるが、誰も出ない。やがて、その番号は留守電になった。流れるメッセージは、別のラストネームを告げている。

　もう一度、最初の番号にかけると、呼び出し音が鳴り続けているだけだ。三度目に、女性が出た。シマコさんとお話ししたいのですが、と伝えると、別の女性と代わった。

「ハイ、メイシーズ。働いていました。お電話くださって、ありがとうございます」

ああ、あのシマコさんだ。あの特徴のある話し方も変わらない。

その後、メイシーズは辞めたという。大きな手術をしたばかりで、少しだけ話せた。

謎は多かったが、シマコさんをさがす旅は終わった。職場を知っていても、私が本で描く人との再会は、こんなにも難しい。まさに一期一会だ。海辺で出会ったニコライもさがしたが、見つからなかった。列車の中でペットボトルの水をくれたあの人は？

誰ともも う、二度と会えないかもしれないが、どうか皆、元気でいてほしい。

本書は単行本『ニューヨークを探して』（大和書房）に手を入れ、ニューヨークの雰囲気を味わえるように、モノクロ写真を三十枚、加えた。第5章「運をもたらす客」のイスラム教徒の店長の話に、第1章「超正統派ユダヤ教へのいざない」で語るユダヤ教徒の写真をあえて使い、ニューヨークの街に希望を託したかった。

お忙しいなか、魔法の謎に迫り、ユニークな解説を書いてくださった福岡伸一さん、的確な助言で素敵な文庫を世に出してくださったベテランの担当編集者、北村恭子さん、シリーズを通して粋で温かい装画を描いてくださった上杉忠弘さん、オシャレに装丁してくださった大久保明子さん、校正、印刷、営業の方々、ありがとうございました。

二〇一五年三月一日　記録的な厳寒のニューヨークで　岡田光世

解説

福岡伸一

本書は、岡田光世さんのベストセラー〝ニューヨークの魔法〟シリーズ第六弾である。岡田さんのエッセイの妙味は、ニューヨークで出会った人、場所、さりげない出来事をすくい上げ、軽やかな筆致で、文字通り、ショート・ショート風のマジックに仕立てあげると同時に、ちょっと気の利いた英語の表現も学べる、というお得感にある。ニューヨークの光と温度を切り取ったような写真もうまい。

岡田さんの長いニューヨーク歴に比べると、私のニューヨーク生活は全然年季が浅い。地下鉄の車内放送が聞き取れるなんて、筋金入りの英語力だ。私には皆目わからない。しかも元来出不精の私は、大学とアパートと近所のデュアン・リード（ニューヨークの街角ごとにあるドラッグストア）、あわせて一辺百メートル四方くらいの地域に引きこもりがちなので、この街についての情報量も経験値も断然低い。岡田さんの本を読んで、教えられること、うなずかされることは多々あれど、「解説」というような大それたものは到底書けそうもない。

ただ、こんな風には言えるかもしれない。岡田さんも随所で触れているように、ニューヨークはある意味でとても公平な街。何十年も暮らしている人に対しても、今日、到着した人に対しても、いちいち前置きや過去を問うことなく、今どうしたいのか、これからどこへ行きたいのか（だけ）をもって接してくれる。さっき初めて会った人同士でも旧来の友人みたいに話すことができる。それがニューヨーク。だから私も臆せず、私のニューヨークを少しだけ話してみよう。この街が私にどう接してくれたかを。

その上で、岡田さんのニューヨーク・ストーリーは、なぜかくも次から次へと話題がつきないのか、つまりどうして〝ニューヨークの魔法〟は永遠にとけることがないのか、という岡田エッセイ最大（！）の謎に迫ってみたい。

そういえば、先ほど来た知人からのメールの書き出しはこうだった。

Is New York treating you well?　ニューヨークは気持ちよく接してくれているかい？（これまた岡田さんを真似して、英語表現を入れてみました。）

私が最初にこの街に来たのは一九八八年の初夏。岡田さんがニューヨークに住み始めたのは一九八五年とあるので、それよりも少しあとのことだ。なぜかニューヨークに集まってきた人々に自分がこの街に来たときのことをよく覚えている。その瞬間、自分の中の何かが変わるからだ。

私は、駆け出しの研究者の卵として、ロックフェラー大学というところに修行にきた。ロックフェラーというと、ああ、あのスケートリンクや巨大なクリスマスツリーが立つところですよね、と返ってくることがあるが、それはミッドタウンの中心部にある有名なロックフェラー・センター。私の大学は、同じくロックフェラー財閥の寄付によって二十世紀始めに設立されたが、アッパーイーストサイド、イースト川沿いにこじんまりとしたキャンパスがある。道行く人も、こんなところに生命科学に特化した大学があるなんて気づかないほどだ。かの野口英世が梅毒や黄熱病の研究をしていた場所でもある。

ロックフェラー大学における私の立場は、ポスドクというものだった。博士研究員のことだが、実態は、非正規・一時雇われの実験労働者。マンハッタンに暮らしているというのに、おしゃれで、スタイリッシュな生活とは全く無縁だった。着の身着のまま、ボロ靴、ボサボサ髪で、ミッドタウンの古ぼけたビル八階の安アパート（ここを三人でシェアしていた）と大学の高層研究棟との間をU字型にただただ行き来する毎日。

ミュージカルにも、コンサートにも、自由の女神にも、エンパイアステートビルにも、ワールドトレードセンターにも（当時はまだマンハッタンのスカイラインの南の端にすっくと二本のモノリスが屹立していた。あれが消失してしまうなんていったい誰が想像できただろう）行ったことがなかった。当時、ポスドクの年収はおよそ二万ドル。マンハッタンで生活するとほとんどが家賃と食費に消えてしまった。

朝から夜遅くまで研究室にこもってボロ雑巾のように働いた。何時間も寝食を忘れて実験に励んだ。私の専門分野は分子生物学というもので、実験動物から臓器をとり、試験管内ですりつぶし、ＤＮＡやＲＮＡを抽出し、それを分析するという、こまごま・ちまちましたことの繰り返しだった。

初めての異国生活という緊張、なんとか研究成果を出さねばならないというプレッシャー、研究発表から街場の買い物まで、ありとあらゆることが言葉の壁に阻まれるというストレス、ライバルたちがどんどん先行するという焦燥感、そういったものが一挙に押し寄せてきた激烈な日々だった。とはいえ、このときニューヨークにいたのはわずか一年足らず。研究室のボスが、ボストンのハーバード大学へ異動することになり、私たちポスドクも研究室の備品と一緒に引っ越しとなった。昭和が終わり、平成がはじまるニュースをロックフェラー大学のカフェテリアのテレビで聞いた。

経済的にも、時間的にも、精神的にも全く余裕がないたいへんな時期だった。だが、今にして思えば、それは私にとって二度と取り戻すことのできない人生最良の日々でもあった。一心に研究のことだけを考え、ただただ実験に邁進すればよかった。結果としては大した成果が得られたわけではない。私たちはＧＰ２という名の遺伝子を追いかけていた。ライバル研究チームとほぼ同着でなんとか遺伝暗号を解読した。全ゲノムが完全に解明されてしまった現在、それは膨大なデータベースの一行でしかない。

ニューヨークの観光名所には行ったことのない私にも、街の光と匂いは私の身体のどこかに確実に刻み込まれていた。それは通勤途上に感じた、街路樹のあいだを吹き抜ける夏の風だったかもしれないし、高層ビルのあいだに狭く切り取られた高く澄んだ秋の空だったかもしれない。いずれにしても、時間と場所の記憶は、私に決定的なものを刷り込み、私にとって忘れ得ない出発点となった。

あれから長い時間が経った。そして今回、再び留学のチャンスが巡ってきたとき、迷うことなくロックフェラー大学を選んだ。これはいわゆる「サバティカル」と呼ばれる制度で、勤続何十年かのご褒美として、本籍の大学から離れて、再充電したり、異なる研究機関で新たな刺激に触れたりできる制度である。

二十五年ぶりに戻ってきたロックフェラー大学は、緑溢れる静かなキャンパスの佇まい自体は何も変わっていなかったが、内実はすっかり様変わりしていた。私の知っている教授陣や研究者たちは散り散りに散らばり、あるいは引退していた。かわりに新進気鋭の若い研究者たちが新しいテーマに取り組み、女性教授の数も飛躍的に増えた。そして皆が最先端のバイオテクノロジーの話に夢中だった。ここで研究者と交流し、セミナーに出席し、論文を読み、自分の生命観をより進化・深化させるべく、勉強しなおす日々を開始した。今回の逗留における私の立場は、もはや貧乏ポスドクではない。客員研究員。文字通りお客さんだ。昔ほどプレッシャーや焦燥にさいなまれることもない。時間的にも経済的にも余裕ができた。その分、若い体力とエネルギーは失われてしまったが、今回はもう少しこの街ニューヨークを楽しもう。

本書にもあるとおり、ここ十年、二十年のあいだにニューヨークはすっかり様変わりした。昔に比べずっと安全になった。とはいえ、何がいつ起こるかわからないから街を歩くときは油断できない。地下鉄やバスの座席に座る際には、シートに得体のしれない液体がこぼれていないか確かめないとならない。歩道にはゴミ箱が設置されているというのに、あらゆる紙くず、カップ、ペットボトル、木切れ、ピザの破片、犬の糞などが散らばっていて、歩くのも一苦労。横断歩道の信号は全員無視。しかし車の方も容赦なく曲がってくるので、流れにつられて渡ると危ない。夜中でもたえずサイレン、クラクション。夏は蒸し暑く、冬はモスクワより寒い（特に去年と今年は厳冬だった）。モノはすぐ壊れ、荷物は時間どおりに届いたためしがない。ドアは異常に重く、家賃は恐ろしく高い。公的機関の仕事は遅く、書類がいつまでたっても届かない。日本では当たり前のことがすべてチャレンジとなる。こんな不自由で、カオティックな街にどうして世界中から人々が集まってくるのだろう。

その答えは本書を読めば明々白々である。ニューヨークが誰に対しても公平だからだ。ニューヨークはここへ来たあらゆる人を拒まず、等しく接する。生まれた場所、言葉、文化、習慣、目や肌の色、さまざま差異をもつ人々の、とぎれることのない流れが、ニューヨークをニューヨークとしつつ、ニューヨークを絶えまなく変えつづける。手前味噌になるけれど、街そのものが、まさに私のキーワードである「動的平衡」を保った生命体なのだ。ここでは、すべてのものが分解と合成の危ういバランスの上にあり、常に更新される。いつも新しい何かがどこかで生まれている。

それゆえ岡田さんの本に描かれる「魔法」も尽きることがなく、とけることもない。これが岡田エッセイの謎に対する私の答えである。

（生物学者）

ニューヨークの魔法(まほう)をさがして

定価はカバーに表示してあります

2015年5月10日　第1刷

著　者　岡田光世(おかだみつよ)
発行者　羽鳥好之
発行所　株式会社文藝春秋

東京都千代田区紀尾井町3-23　〒102-8008
TEL　03・3265・1211
文藝春秋ホームページ　http://www.bunshun.co.jp

落丁、乱丁本は、お手数ですが小社製作部宛お送り下さい。送料小社負担でお取替致します。

印刷・大日本印刷　製本・加藤製本
Printed in Japan
ISBN978-4-16-790374-9